D0480777

La griffe

des sorciers

ÉVELYNE BRISOU-PELLEN

La griffe
des sorciers

ÉDITIONS DE MORTAGNE

Catalogage avant publication de Bibliothèque et Archives
nationales du Québec et Bibliothèque et Archives Canada

Brisou-Pellen, Évelyne, 1947-

    La griffe des sorciers

    Pour les jeunes.

    ISBN 978-2-89074-925-2

    I. Titre.

PZ23.B762Gr 2009   j843'.914   C2009-940887-2

Édition
Les Éditions de Mortagne
Case postale 116
Boucherville (Québec)
J4B 5E6

Distribution
Tél. : 450 641-2387
Téléc. : 450 655-6092
Courriel : info@editionsdemortagne.com

Dépôt légal
Bibliothèque et Archives Canada
Bibliothèque et Archives nationales du Québec
Bibliothèque Nationale de France
3e trimestre 2009

ISBN 978-2-89074-925-2
1 2 3 4 5 – 09 – 13 12 11 10 09

Imprimé au Canada

Membre de l'Association nationale des éditeurs de livres (ANEL)

Table des matières

- 1 -

Voleur par mégarde

Ce jour-là il faisait beau. Trop beau pour ne pas m'échapper de l'orphelinat. Après un regard soupçonneux vers les fenêtres du directeur, je pris mon élan, m'agrippai aux pierres et franchis le mur d'un bond.

Ce n'était pas seulement pour le plaisir de filer, de faire un pied de nez au directeur, c'était pour assurer mon avenir. J'avais juré à ma petite sœur que nous nous en sortirions, et que nous deviendrions riches, tellement riches que nous aurions même des domestiques, et un cabriolet tiré par deux chevaux noirs, et que tout le monde nous saluerait avec respect.

Pour gagner le début de cette fortune, je faussais donc compagnie à l'orphelinat à la moindre occasion et je récoltais dans les rues de la ville les vieux chiffons que je revendais ensuite à une fabrique de pâte à papier.

– Chiffonnier ! Chiffonnier ! Donnez vos vieux chiffons !

Dans les quartiers pauvres de la ville, ce n'était pas facile de glaner du tissu : personne n'avait les moyens de se débarrasser de ses hardes, même les plus usées. Dans les beaux quartiers, on me considérait souvent avec méfiance et on me priait de m'éloigner. Sans doute étais-je un outrage pour la vue. Il est vrai que mes vêtements auraient bien pu trouver leur place dans mon sac à chiffons.

L'orphelinat nous fournissait *gracieusement*, une fois par an, des vêtements usagés que les bienfaiteurs ne voulaient plus voir sur le dos de leurs enfants. Mais mon pantalon de drap marron, à peine râpé aux fesses quand j'en avais hérité, était maintenant brillant d'usure, troué aux genoux, et surtout beaucoup trop court pour moi. Il faut dire que j'avais à ce jour sans doute dans les douze ans, et qu'un garçon de cet âge, ça grandit.

Si je dis « dans les douze ans », c'est que mon âge était douteux : le jour où l'on m'avait recueilli, errant dans les rues, tenant ma petite sœur par la main, on avait décrété que j'avais cinq ans, et ma sœur deux. Nous ne parlions ni l'un ni l'autre, et comme j'étais incapable de dire nos prénoms (j'ignorais alors pourquoi, à cinq ans, je ne parlais toujours pas), on nous avait donné le nom du saint du jour sur le calendrier. Hélas, il n'y en avait qu'un pour nous deux, et nous avons dû nous le partager. C'est ainsi que j'ai eu la chance de m'appeler Antonin, et ma petite sœur Antonine. Si on nous avait trouvés le lendemain, on aurait eu droit à Juvénal et Juvénale !

– Chiffonnier ! Donnez vos vieux chiffons !

Ma voix s'enraya dans ma gorge et je me plaquai contre le mur. Sur le trottoir d'en face, passait sœur Adélaïde, directrice de l'orphelinat des filles. Si elle me reconnaissait, adieu ma carrière de chiffonnier !

Près de mon oreille battait du linge accroché à la rambarde d'une fenêtre. Je m'en saisis et le ramenai devant mon visage pour me dissimuler. Les pinces à linge lâchèrent dans un petit bruit sec, et aussitôt, une grosse figure fit irruption dans l'encadrement de la fenêtre.

– Au voleur ! Au voleur !

Pris de panique, je fis ce que je n'aurais jamais dû : je m'enfuis.

– Au voleur ! Au voleur !

J'aurais également dû lâcher le linge, mais il me couvrait le visage, et si je le laissais tomber maintenant, c'en était fini de mon anonymat.

Je courais comme un fou dans la rue, je tournai l'angle, un autre, un autre, sans cesser de cavaler. Enfin, je n'entendis plus rien, que le bruit de mon cœur qui battait comme les tambours du 14 juillet, et mon souffle, capable de faire fonctionner une cornemuse de la garde écossaise.

À bout de force, je finis par m'arrêter. Je m'appuyai d'une main à un mur, et tentai de reprendre ma respiration.

La rue était calme. C'était d'ailleurs plutôt une ruelle, bordée d'un long bâtiment de pierre couleur lie-de-vin, sans aucune fenêtre, et faisant face à d'anciennes boutiques délabrées où plus personne ne vivait. La pensée me vint que, malgré mes efforts, la sœur Adélaïde m'avait peut-être reconnu à mes vêtements (les mêmes à longueur d'année, ça marque !) et que tout l'orphelinat serait bientôt au courant.

Et c'est là, contre un mur aveugle, devant des enseignes de magasins rongées par la rouille, que je pris la décision extrême de ne plus jamais retourner à l'orphelinat.

Je traversai la rue avec circonspection et jetai un regard dans les vieilles échoppes. Tout était cassé, pourri, les murs s'effritaient, c'était parfait. Je pourrais me réfugier là, personne ne viendrait m'y chercher. L'essentiel, n'est-ce pas, est d'avoir un toit au-dessus de la tête pour se protéger de la pluie. Le toit, là-haut, était sûrement crevé, mais le plancher de l'appartement du premier, qui me servirait de plafond, paraissait intact, ou du moins sans trou visible.

Un peu rassuré d'avoir si vite découvert mon futur logement, je pris le temps d'étaler devant mes yeux la pièce de linge qui m'avait valu de révolutionner ma vie. Je faillis éclater de rire : c'était une culotte de femme, une de ces grandes culottes à jambes courtes, en lin très fin, que portaient les dames déjà aisées.

La propriétaire de celle-ci devait avoir les moyens... Bien que « moyens » ne me semblât sur le moment pas un terme qui pouvait aller avec la taille de la culotte. ... Énorme ! De quoi mettre des fesses de cheval. On y aurait facile-ment fait une jupe plissée pour ma petite sœur, et taillé dans le reste un corsage à manches longues, une capeline, un manteau et un ruban pour les cheveux. Je ne pus m'empêcher de pouffer de rire en remisant précieusement le beau tissu dans mon vieux sac à chiffons.

Je me retournai d'un bond. Un homme venait de passer près de moi. Un petit barbu, l'air très vieux. Il marchait vite malgré son âge. D'où avait-il pu sortir ? On aurait dit qu'il venait de l'autre côté de la rue. Sauf que, dans le long mur de pierre, on ne distinguait aucune porte.

2

Drôle de vieux

Instinctivement je reculai. L'homme ne semblait même pas me voir. Il tenait serré contre sa vieille redingote un morceau de tissu d'un blanc sale. Il s'éloigna vers le bout de la rue.

Il se passa à peine plus d'une seconde après qu'il eut tourné le coin de la rue, et j'entendis un hennissement de cheval, suivi de jurons. J'osai quelques pas prudents vers le carrefour.

Mais voilà que le vent se leva, tourbillonna dans la rue et m'envoya dans les jambes un grand tissu grisâtre : celui que le vieux tenait contre sa poitrine. Le vieux, lui, était couché sur les pavés, avec des gens qui s'affairaient autour de lui.

– Il est mort ! s'exclama-t-on.

Je demeurai sans bouger, un peu sidéré.

— Il s'est jeté sous les sabots de mon cheval ! pleurnicha le cocher du fiacre. Jeté ! Je n'ai rien pu faire !

Je ramassai le morceau de tissu empêtré dans mes jambes et, quand je relevai la tête, je m'aperçus avec stupeur que ciel était devenu tout noir. Je n'eus pas le temps de m'appesantir sur la situation : mon regard venait de croiser celui de la propriétaire de la culotte, qui se mit aussitôt à faire de grands gestes dans ma direction. Je tournai les talons et filai de nouveau dans la rue. Je ne craignais pas que la grosse me rattrape, mais elle pouvait lancer à ma poursuite un sergent de ville.

— Arrêtez-le !

C'était bien ce que je redoutais : j'entendis une cavalcade derrière moi. J'étais déjà très fatigué par ma première course. Cette fois, ils allaient me mettre la main dessus et ...

Fouchtra ! La ruelle était une impasse ! Au fond, elle était fermée par un mur ! Tout en courant, j'évaluai si je pouvais passer l'obstacle. (Je m'y connaissais fort bien en franchissement de murs.)

... Trop haut ! Il était trop haut ! Au moment où cette évidence me frappa, j'aperçus à ma gauche une porte entrebâillée. Je m'y jetai.

... Une porte dans le mur que j'avais cru aveugle !

Je me trouvais dans un couloir étroit et qui puait le renfermé. J'inspectai les lieux avec un peu d'affolement. Horreur ! Le couloir était sans issue, lui aussi. J'étais fichu.

Mes poursuivants, trois hommes en tenue de policiers, s'arrêtèrent devant la porte que je n'avais pas pris le temps de refermer. Je me collai contre le mur, mais bien inutilement car la seule bonne solution pour moi aurait été de disparaître dans un trou de souris. Dehors, ils me fixaient tous trois sans faire un geste. Quand allaient-ils se jeter sur moi ?

Il y eut un long moment de rien. De silence. D'immobilité.

– Ça alors, articula un des sergents de ville, j'aurais juré qu'il était entré là !

J'en restai ahuri : étais-je devenu invisible ? Le couloir était-il sombre au point que j'y disparaissais ?

Ce n'était pas du tout cela, car un autre sergent dit :

– C'est incompréhensible. Il n'y a même pas une porte, ni une fenêtre, pas la moindre ouverture. Il aurait pu disparaître dans le mur, comme ça ?

Ils levèrent la tête vers le ciel. Un éclair venait d'illuminer la ruelle, et voilà que le tonnerre éclatait au-dessus de nous.

Les hommes se consultèrent du regard et lancèrent un nouveau coup d'œil effrayé en direction de ma porte qu'ils ne semblaient pas voir. Ils reculèrent lentement, puis se mirent à courir. Des trombes d'eau s'abattirent alors sur la rue.

Je restai là, presque aussi effrayé que les trois hommes de police, quand je perçus soudain derrière moi comme un courant d'air. Une autre porte, que je n'avais pas vue avant, s'était entrouverte dans mon dos, et il en venait une lueur si curieuse que j'en fus troublé.

Je demeurai prudemment collé au mur du couloir, prêt à m'échapper vers la rue à la moindre alerte. Personne ne se montra.

L'orage s'éloignait. À pas prudents, sans cesser de surveiller devant comme derrière, je regagnai la rue. Mon soulagement fut sans borne quand je m'aperçus que je pouvais ressortir par la porte aussi facilement que j'étais entré. Je me retrouvai sur le pavé détrempé, dans la ruelle déserte.

Déserte, non. L'homme, le vieux à la redingote, était là. Il était là ! Vivant ! À vingt pas à peine. Et il cria d'une voix furieuse :

– Rends-moi ça !

J'eus un regard effaré pour le chiffon que je tenais toujours dans les mains, puis je le lâchai. Un coup de vent l'emporta vers le vieux et, dans un ample et gracieux mouvement, il se déploya. L'homme l'attrapa et le replia rapidement, mais j'avais vu qu'au centre, il y avait une grande tache rouge.

3

L'impasse du Louis d'Or

J'avais reculé, je ne sais plus. Le vieux avait disparu, je ne me rappelle pas comment. J'étais de nouveau au milieu de la rue, et j'étais seul. C'était comme dans un cauchemar où tout est ralenti. Il n'y avait aucune porte dans le mur, juste - à bien y regarder -, un motif en forme de porte : des pierres disposées en éventail à deux mètres de hauteur et des sortes de colonnes qui rejoignaient le sol de chaque côté. J'avais dû rêver...

Pourtant, je ne voyais pas du tout à quel moment j'avais pu m'endormir. Je me sentais l'esprit en désordre. Sans quitter des yeux le mur rouge, je m'éloignai vers le bout de la ruelle.

En arrivant au carrefour, j'eus l'impression de changer de monde : les fiacres circulaient tout comme d'habitude, et les badauds devisaient entre eux sans excitation aucune. On aurait dit que rien ne s'était passé. Après un temps d'hésitation, je me décidai à aborder deux enfants qui jouaient à la marelle sur le trottoir.

— Il n'y a pas eu un accident, ici, tout à l'heure ?

— Un accident ? Non...

Une petite fille assise sur une marche leva alors son index et intervint :

— Un accident, si.

Je demandai :

— Un vieux monsieur ?

— Oui. Très vieux. Il était mort, on l'a emmené dans une grande voiture noire.

— Tu es folle, Lili ! s'écria un des garçons. On était là, et on n'a rien vu.

— C'était un vieux, insista la fillette. Un vieux que je n'avais jamais rencontré. Il n'habite sûrement pas par ici... Et vous aussi, vous l'avez vu : même que tout le monde a crié quand il y a eu l'accident !

Les deux garçons se regardèrent avec incrédulité.

– Ne fais pas attention, me dit enfin un des garçons, Lili, quelquefois, elle a des visions.

Je n'insistai pas. Lili avait raison, je le savais, ou alors nous étions deux à avoir eu des visions.

Très mal à l'aise, je m'éloignai. Je ne savais plus ce que je devais faire : je n'avais absolument plus envie de loger dans les boutiques désertes de la ruelle... mais pas envie non plus de retourner à l'orphelinat.

J'errai un moment dans le quartier et, à trois reprises, je m'aperçus que j'étais revenu près de la ruelle. Je crois que c'est seulement parce que je n'aimais pas beaucoup les énigmes, ou plus exactement que je n'aimais pas qu'elles restent des énigmes. Comprendre, voilà le mot qui me tarabustait.

Un clochard s'était assis contre le mur d'angle pour boire au pichet qu'il tenait à la main. Je le saluai poliment, ce qui attira son attention : personne ne s'attarde jamais à saluer ces gens-là. Il me considéra un moment sous ses sourcils broussailleux, et dut juger que je ne pouvais pas lui être d'un grand secours dans sa pauvreté, vu mon allure et mon accoutrement.

— Vous savez qui habite là ? lui demandai-je en désignant le gros bâtiment rouge.

Il haussa les épaules.

— C'est un vieux ? insistai-je.

Il secoua la tête :

— ... Jamais vu personne.

— Personne n'habite là ?

— Je n'ai pas dit ça. On voit bien que c'est en bon état, donc, sans doute, quelqu'un y vit. Mais qui ? Je n'en sais rien.

— Où est l'entrée ?

— Je ne sais rien, je te dis. Jamais vu d'entrée. Pour moi, c'est ailleurs, dans une des autres rues qui l'entourent, ou par une des maisons appuyées dessus.

Ce devait être ça.

Mais... ma porte à moi ?

— Quand j'étais gamin, continua le clochard après s'être enfilé une nouvelle rasade de rouge dont la moitié dégoulinait maintenant dans sa barbe, la vieille qui habitait au coin (il me montra l'échoppe en ruine derrière lui) l'appelait « la maison des fantômes ».

– Il y a des fantômes ? m'inquiétai-je.

– Bien sûr que non ! C'est parce qu'elle n'y avait jamais vu personne. Elle prétendait que c'était un bâtiment bien plus vieux que les commerces d'ici. Et pourtant, les commerces sont en ruine, comme tu vois. Elle disait que cette maison résistait au temps parce qu'elle était construite avec des pierres venues des parois de l'enfer, et que l'intérieur était tapissé de lingots d'or.

Je secouai la tête en ricanant jaune. Les pierres de l'enfer, c'était peut-être exagéré, mais tout de même, il y avait là quelque chose de... de pas très naturel. Moi, j'avais vu quelqu'un sortir de cette maison.

– D'ailleurs, reprit le clochard, le nom de la rue est en rapport : elle s'appelle « l'impasse du Louis d'Or ».

Un joli nom, plutôt rassurant... Il n'y avait que la maison, qui ne l'était pas.

- 4 -

Le moulin à papier

Le clochard m'offrit de partager son cruchon de vin, ce qui était sympathique mais pas très raisonnable, surtout qu'il me semblait que le soleil m'avait déjà bien tapé sur la tête. Je m'excusai :

– Il faut que j'aille au moulin à papier porter mes chiffons.

– Oh ! s'exclama le vieux, quand j'étais jeune, je faisais ce genre de métier aussi. Hélas, il faut marcher beaucoup, et mes pauvres jambes... Alors, maintenant, je me contente de tendre la main et d'attendre que les pièces y tombent.

Je m'éloignais en réfléchissant, quand il me rappela :

– Petit ! Attends ! Je vais te donner quelque chose aussi, moi. Il n'y a pas de raison...

Il fouilla dans son sac et en sortit un tissu de laine d'une crasse repoussante qu'il étira pour me montrer qu'il s'agissait d'une vieille chaussette. Il avait dû la porter pendant un siècle.

– Il y a trop de trous, m'expliqua-t-il avec sérieux, je ne peux plus m'en servir, j'attrape mal au pied.

Trop de trous ? Mais non mais non ! Certes, deux ou trois filaments de laine existaient encore entre les trous, cependant, dès qu'ils auraient lâché, on n'aurait plus qu'un seul trou... Et bientôt plus de trou du tout : on n'aurait qu'une bande de tissu circulaire, idéale pour faire un bracelet.

Enfin... À chaussette donnée, on ne regarde pas les trous. Je remerciai le clochard, en essayant de montrer autant de sérieux que lui et jetai mon butin dans mon sac.

Dommage que les trous ne pèsent rien, sinon j'aurais dans ma musette un bon poids... Il faudrait inventer le métier de marchand de trous, ce ne serait pas fatigant à porter ! Le tout serait de trouver la clientèle...

Les marchands de boutons, peut-être, en auraient besoin pour les boutonnières, les fabricants de gruyère, les poseurs de canalisations, les jardiniers, les souris et les taupes...

L'esprit occupé par ce raisonnement d'une haute logique, j'étais arrivé sans m'en apercevoir devant le moulin à papier. Albert, le concierge, me fit un signe de la main.

– Salut, Antonin, quoi de neuf aujourd'hui ?

J'ouvris mon sac pour lui en montrer le contenu, et il pencha son crâne dégarni sur les fripes. Il eut une petite grimace en apercevant la chaussette, puis extirpa la culotte de fine toile.

– Ça, c'est bien !

Je l'arrêtai :

– Ce n'est pas à vendre, c'est pour faire un corsage à ma petite sœur.

– Allons, protesta Albert, si tu gardes ce qui est de qualité, je ne peux pas te donner un bon prix de ce bazard !

– Tant pis. Regarde le reste seulement.

Albert sortit un à un les chiffons d'un air un peu dégoûté.

– Tout ça est bon pour le pourrissoir, lâcha-t-il enfin.

Il n'exagérait pas, et je le savais : seuls les tissus corrects pouvaient être utilisés en l'état. Les autres, il fallait les mettre à dégorger, et ça prenait du temps.

— Il y en a à peine pour six sous, là-dedans, conclut Albert.

Et ses sourcils noirs s'agitèrent, comme chaque fois qu'il annonçait une mauvaise nouvelle.

Six sous, ça ne m'arrangeait pas, surtout que, depuis ma décision de ce matin, j'étais à la rue. Je proposai :

— Je pourrais travailler au découpage.

— Tous les bancs de coupe sont occupés.

— Ou au délissage.

Albert secoua la tête. J'ajoutai dans la foulée :

— Je sais comment on fait. On enlève les boutons, les agrafes, les ourlets, les cols, les bas de manche...

Albert continuait à agiter sa vieille tête avec véhémence.

– Tu arrives en milieu d'après-midi, m'interrompit-il enfin, et tu veux de l'embauche ? Mais, malheureux, tout est pris dès le petit jour, et on est obligés d'en renvoyer plein, des pauvres bougres comme toi.

Je me redressai, un peu froissé. Pauvre bougre ! Tu ne diras pas ça longtemps, Albert, tu vas voir, je deviendrai quelqu'un.

Oui, Antonin Larue deviendrait quelqu'un !

Sans un mot, je pris les deux pièces qu'il me tendait.

... Larue ! Quel manque d'imagination pour me donner ce nom ! Antonin, le saint du jour, et Larue à cause du lieu où l'on m'avait trouvé.

En glissant mes pièces dans un trou de ma ceinture (mes poches étaient percées depuis longtemps), je pris la deuxième grave décision de ma journée : je quitterai ce nom idiot en même temps que l'orphelinat. Je m'appellerai désormais Antonin... Duchâteau.

Au moment où je relevai un visage décidé, j'aperçus un vieil homme en chapeau haut-de-forme sur le trottoir d'en face, et qui me regardait.

Trop beau pour être vrai

En un instant, j'avais repassé dans ma tête toutes les personnes qui pouvaient me connaître et savoir que j'étais en rupture d'orphelinat, mais non, ce visage ne me disait rien. Mon cœur fit alors un bond : et si c'était mon père ?

Si par hasard j'avais toujours un père, je ne serais sans doute pas en mesure de le reconnaître. Mes souvenirs étaient tellement lointains, tellement flous... De toute façon, cet homme-ci me paraissait beaucoup trop vieux, même si je n'arrivais pas à lui donner d'âge.

J'ignorais pourquoi, je n'avais jamais eu l'espoir de retrouver ma mère. Dans ma mémoire, que je triturais souvent, il n'y avait aucune image de femme. Pour mon père, c'était différent : j'étais persuadé de l'avoir connu. Et pourtant, quand je recherchais ses traits, je ne voyais qu'un dessin flou, comme un vague crayonnage sur lequel on aurait passé la gomme. J'en gardais juste une impression de force et de chaleur. Était-il grand ?

Celui-ci en tout cas, le vieux, me sembla immense, mais il ne s'en dégageait aucune force, et son visage était si maigre qu'on en voyait tous les os. Peut-être était-ce sa maigreur qui le faisait paraître si grand ?

Il traversa la rue comme une sorte de pantin désarticulé dont les genoux saillaient sous l'étroit pantalon rayé. Je demeurai sans bouger.

– Bonjour, salua-t-il d'un ton très aimable. Je suis à la recherche d'un jeune homme qui serait intéressé par un emploi de secrétaire. Je précise que son salaire serait correct – vingt francs par jour –, et qu'il serait nourri et logé.

Vingt francs, un salaire correct ? Il s'agissait là d'une véritable fortune ! Je sentais que la chance pointait son museau. Un seul ennui : je savais à peine lire, et pas du tout écrire.

En une fraction de seconde, je regrettai sincèrement de m'être toujours calé au fond de la classe quand le père Alexandre tentait de nous enseigner la lecture. Et depuis le fond d'une classe de cent soixante élèves, on n'apprend pas grand-chose.

– Aucun problème, répondis-je. Je sais lire de gros livres et écrire sans fautes.

Je me rends compte (aujourd'hui que je sais lire), que le fait de parler de « gros livres » et de « sans fautes » démontrait mon ignorance. Parce que, si ça avait été vrai, il ne me serait jamais venu à l'idée de le dire. Mais, sur le moment, ça me parut convaincant. Je pensai juste que j'aurais un toit pour le soir et que je verrais comment arranger les choses ensuite.

L'homme se contenta de hocher la tête en déclarant que je ferais certainement l'affaire, et qu'il m'avait jugé au premier coup d'œil – ce qui eut pour effet de m'inquiéter légèrement. Pourtant, il ne semblait y avoir aucune ironie dans ses propos.

– Je n'habite pas loin, indiqua-t-il. Voulez-vous m'accompagner ?

Je lui emboîtai le pas sans plus de manières, et nous nous frayâmes un chemin sur les trottoirs encombrés. De peur de le perdre, je ne le lâchai pas d'une semelle. Je me disais : « Quelle chance ! Quelle sacrée chance ! »

Et plus je me le répétais, plus je me persuadais que je m'en tirerais, que lorsque le vieux découvrirait mon ignorance, j'aurais eu le temps de lui prouver qu'il pouvait m'employer à d'autres fonctions...

À quoi ? Je l'ignorais. Voyons... Que savais-je faire ? Pas grand-chose évidemment, mais j'apprendrais. J'étais prêt à apprendre n'importe quoi.

J'essayai de revoir dans ma tête à quoi ressemblait un « A » ou un « T ». Sans grand succès, hélas, et je pestai contre moi-même.

Pouvais-je apprendre à écrire en trois jours ? Rage rage ! Quelle buse, quel âne, quel crétin d'avoir passé les heures de cours à imiter les mimiques du père Alexandre au lieu d'écouter ce qu'il disait !

J'en étais là de ma colère contre moi-même, quand mon nouveau maître s'arrêta.

Je ne connaissais pas cette rue, mais la couleur lie-de-vin du mur devant lequel nous nous étions immobilisés me frappa. Était-ce une coïncidence ? Le même bâtiment vu d'une autre rue ?

- 6 -

Le piège

La main ferme du vieillard qui se posa comme une serre sur mon épaule me fit sursauter. Devant moi, il y avait une porte qui – je l'aurais juré –, n'y était pas l'instant d'avant.

Et elle s'ouvrit toute seule !

– Entre, dit l'homme.

Je lui fis un beau sourire, le plus décontracté possible, et avançai d'un pas. Il eut la réaction que j'espérais : il relâcha son étreinte.

Avant qu'il ait le temps de comprendre ce qui arrivait, je m'étais échappé de son emprise et je galopais dans la rue déserte.

– Arrête ! cria-t-il. Arrête, petit malheureux !

La panique me faisait battre le cœur. Je craignais qu'il ne se mette à gueuler « au voleur ! » et que les passants ne me barrent le chemin même si je n'avais rien volé. Un beau monsieur en haut-de-forme a toujours raison contre un petit morveux de l'orphelinat.

Le vieux ne cria rien de ce genre, seulement « Arrête-toi ! », d'une voix de plus en plus chevrotante.

Je ne ralentis qu'en arrivant sur la Place aux Chevaux, les idées en désordre autant que mes vêtements, et j'osai enfin regarder derrière moi. Il ne m'avait pas suivi !

Ma respiration se calmant, je me demandais ce qui m'avait poussé à fuir dans une telle panique. Un bâtiment qui n'a pas de porte puis qui en a... Une maison déserte où entrent un vieillard, un deuxième vieillard... Un linge taché de sang...

Je m'essuyai le front de mes mains moites et je les essuyai nerveusement sur mon pantalon.

✧　✧
✧

Je sifflai entre mes dents trois notes, les trois premières notes du chant de la tourterelle.

Il faisait nuit noire et pas très chaud, et je surveillais sans cesse la rue à gauche et à droite.

La fenêtre grillagée s'ouvrit, j'entendis un timide roucoulement de pigeon. Je soufflai :

– Antonine !

– Qu'est-ce qui s'est passé ? Tu n'étais pas là à huit heures ! Tu n'as pas pu t'échapper pendant la prière ?

Je chuchotai :

– C'est plus compliqué que ça. Je ne suis plus à l'orphelinat.

– Qu'est-ce que tu dis ? Tu es fou, Antonin !

– Ne te tracasse pas, je vais vivre ma vie... Attends, je t'ai apporté quelque chose, regarde...

Je me hissai sur la pointe des pieds pour glisser la culotte par la fenêtre, avant de me recoller au mur.

– C'est beau, murmura ma petite sœur. ... Mais où veux-tu aller ?

– Ne t'en fais pas, tout est arrangé. Je vais gagner beaucoup d'argent et je reviendrai te chercher. Et tu pourras sortir de l'orphelinat la tête haute, comme une dame.

Il y eut un petit silence, puis la voix alarmée de ma sœur :

— Antonin, tu ne fais pas de bêtises, hein ?

— Ne t'inquiète de rien, ma petite guêpe. On s'en tirera, tu verras.

— Tu n'es pas en danger, au moins ?

Je ne sais pas comment, ma sœur avait un don pour deviner ce qu'on voulait lui cacher.

— Ça va aller. Juste un petit embêtement, mais c'est fini.

— Quel embêtement, Antonin ? Quel emb...

On entendit un bruit de porte à l'intérieur. La fenêtre se referma vivement et ma sœur disparut.

J'en profitai pour m'éclipser. Encore un peu, et j'allais lui parler des vieux et lui donner idiotement des soucis. Ma petite sœur était toujours anxieuse à mon sujet, même sans raison. Alors, là...

Non, je ne lui dirai rien. D'ailleurs, ce n'était rien. Demain, au grand jour, tout s'effacerait et le monde reprendrait ses couleurs.

Une décision

Je fus réveillé en sursaut par un vacarme affreux, et j'en restai un moment tout suffoqué. La grosse roue venait de se mettre en marche, et les maillets à clous frappaient en cadence dans les cuves de granit, déchiquetant les tissus avec rage.

Le moulin à papier ! Bien sûr, je me trouvais dans le moulin à papier... Et il n'y avait aucun squelette grimaçant qui frappait sur ma poitrine comme pour y entrer ! Le soulagement m'arracha un soupir.

Personne ne m'avait vu. Je rampai derrière les cuves infernales, me faufilai derrière les bacs de remplissage où trempaient, dans une odeur entêtante, des monceaux de pâte à papier, et réussis à me glisser dehors par la chatière, heureusement trop large pour un chat.

Je me sentis tout ragaillardi : j'étais capable de passer inaperçu, et de me faire mur sur les murs.

Personne n'avait rien à me reprocher, mais – allez savoir pourquoi –, on ne vous permettait jamais de dormir dans un endroit qui n'était pas prévu pour ça.

J'étais de nouveau dans la rue, et pour toute la journée.

Je me recoiffai d'un coup de mes dix doigts et tirai un peu sur ma veste dans le vague espoir de la défroisser. Tout ce que j'avais vécu la veille me paraissait irréel. J'aurais mis ma main au feu que les murs lie-de-vin n'existaient que dans mon imagination.

Je sentais la faim me tirailler l'estomac et, un court instant, ça me fit regretter le pain rassis de l'orphelinat. Je compris alors que, maintenant que j'étais parti, il me faudrait veiller moi-même à me remplir la panse et que cela allait bien écorner mes maigres économies.

Après un coup d'œil prudent aux alentours, je m'assis dans un renfoncement de porte cochère et sortit de ma ceinture de toile une bourse très plate à laquelle j'ajoutai mes deux pièces de la veille. À l'abri des regards, je comptai mon trésor.

Trente-six francs ! C'était moins que je ne croyais, mais c'était un début. Si je m'achetais un morceau de pain pour calmer ce maudit estomac, ça m'enlèverait quatre sous. Aïe aïe aïe... Il faudrait travailler dur pour gagner de quoi faire des économies, je n'avais pas envisagé cet aspect du problème en quittant l'orphelinat.

C'est alors que je repensai aux vingt francs du vieux. J'avais peut-être pris peur un peu trop vite. Et puis, une porte qui n'existe pas et ensuite qui existe, ce n'est pas vraisemblable. J'avais pris pour de la magie un phénomène qui pouvait s'expliquer de façon très simple : une porte dissimulée, et qui s'ouvrait par un mécanisme, il y en avait des tas dans les histoires que lisait en cachette mon copain Victor.

Je songeai que Victor devait être triste que je sois parti, mais il avait douze ans lui aussi, et il allait être mis en apprentissage quelque part. Je le retrouverais donc sûrement un jour ou l'autre au coin d'une rue.

Oui, j'avais eu tort de m'effrayer... Si j'arrivais à savoir qui habitait la maison lie-de-vin, ça me rassurerait. Je pourrais aller frapper à la porte pour offrir mes services.

Je rattachai les ficelles qui servaient de lacets à mes galoches et je me dirigeai d'un pas décidé vers la ruelle où j'avais aperçu le premier vieillard. Après tout, « Impasse du Louis d'Or » était un nom à faire rêver.

- 8 -

Une idée de génie

Le soleil levant ne pénétrait pas encore dans l'impasse du Louis d'Or. Il y faisait sombre et humide, les boutiques délabrées en paraissaient plus inquiétantes encore. Il me vint à ce moment à l'esprit une question intéressante : pourquoi, alors que nous étions à deux pas du centre-ville, aucun commerçant ne s'était installé ici ?

Mon regard revint vers la grosse bâtisse aveugle. Je m'avançai sur la pointe des pieds (les murs ont-ils des oreilles ?) et examinai la forme de porte dans le mur. J'en effleurai délicatement les contours, en appuyant de plus en plus fort sur les pierres...

Rien ne se passa. S'il y avait un mécanisme, je ne savais ni où il se trouvait ni comment il fonctionnait.

Je quittai prudemment l'impasse et me retrouvai à ce fameux carrefour où avait eu lieu l'accident, et qui faisait comme une petite place. On n'y voyait encore que de rares passants.

Tout de même, cette maison appartenait bien à quelqu'un ! À qui ?... Comment le savoir ?

Au moment où je me posais cette question, mes yeux tombèrent sur une plaque gravée, fixée au montant d'une porte cochère. Le mot écrit en gros m'évoquait vaguement quelque chose... Je le déchiffrai avec attention et patience.

... Notaire... C'était bien ce qui était inscrit, non ?

Je relus en m'appliquant et décrétai que j'avais raison. Eh eh... je savais lire un peu, finalement !

Un notaire dans la maison qui s'appuyait sur la grosse bâtisse... Il pouvait savoir quelque chose au sujet des murs lie-de-vin.

Je tendis la main vers la sonnette, et m'arrêtai net. Est-ce que je m'étais bien regardé, avec mes vêtements râpés et ma tignasse en désordre ? Un notaire était un notable, un bourgeois important ! Il ne répondrait sûrement pas à mes questions.

Il fallait se montrer raisonnable, ne pas se jeter la tête en avant, de peur de rencontrer un mur et de s'y fracasser, il valait mieux réfléchir.

J'entrai dans la première boulangerie et achetai une demi-livre de pain. L'estomac plein, j'y verrais peut-être plus clair.

Le résultat de mes cogitations fut que : premièrement, il me fallait trouver d'autres vêtements (pour ça, j'avais déjà une idée), deuxièmement il me fallait changer de peau. Facile. D'ailleurs, j'avais toujours eu envie de devenir comédien, et on nous apprenait à l'orphelinat un langage « convenable », que nous n'utilisions pas beaucoup entre nous, mais qui pouvait se révéler précieux dans ma situation.

Tout en dévorant mon pain à belles dents, je mis mon plan au point.

J'étais si concentré sur mon projet que je faillis me faire renverser par une calèche, dont le cocher m'insulta copieusement. Je lui répondis par un bras d'honneur que je regrettai aussitôt : si je voulais changer de peau et devenir quelqu'un de bien, il me faudrait aussi changer de manières.

J'avais eu facilement une idée pour les vêtements, mais à la réflexion, elle ne me parut pas aussi simple à réaliser...

Dans les greniers de l'orphelinat, on trouvait de beaux habits, ayant appartenu à des enfants riches, et dont on ne nous faisait jamais profiter, nous, pauvres hères, sans doute pour ne pas nous en donner le goût. Il ne fallait pas nous habituer à un luxe que nous ne pourrions jamais nous offrir au cours de notre vie – que même les plus attentionnés nous prédisaient misérable.

Simple était d'y penser, plus difficile était de mettre le projet à exécution, car il m'obligeait à pénétrer dans l'orphelinat sans me faire voir, à parvenir jusqu'au grenier et à ressortir avec mon butin tout aussi discrètement. Que je me fasse prendre, et finie la liberté !

✧   ✧
✧

J'attendis la nuit, qui m'offrait ma seule chance. J'avais dû écorner encore mes économies pour m'acheter une chandelle, que je glissai dans ma ceinture.

Longuement, je surveillai les fenêtres. Quelques lueurs brillaient encore, chez le concierge et dans le bureau du directeur. Le concierge était sourd, mais pas aveugle, et il n'avait pas son pareil pour repérer les allées et venues intempestives à l'heure où tout le monde était censé dormir.

Dès que la dernière lumière s'éteignit (celle de la chambre du surveillant), je pris mon élan et, d'un mouvement rendu sûr par l'habitude, je passai le mur pour retomber souplement dans le potager. Ensuite, mes galoches suspendues par leurs ficelles autour de mon cou, je gagnai le soupirail de la cave dont j'avais scié, sans que personne s'en aperçoive, le fil métallique qui l'empêchait de s'ouvrir complètement.

De là, par l'escalier pourri interdit à la circulation des pensionnaires, je grimpai à pas de loup jusqu'au grenier.

Là, j'allumai ma chandelle.

Les coffres de vêtements n'étaient que trois, nos pauvres réserves de robes et de chemises ne nécessitant rien de plus. Le seul qui était plein – et on comprend pourquoi –, était celui des vêtements trop beaux pour nous. Je l'ouvris avec un peu d'excitation et, posant ma chandelle sur le coffre voisin, j'extirpai les pantalons et les manteaux, les vestes et les gilets de soie (qui paraissaient tellement déplacés en ce lieu que j'en eus presque honte). Je choisis tout de même un gilet qui me sembla à ma taille, puis une chemise de coton fin, un pantalon à carreaux et une petite veste noire cintrée. Pour finir, j'allais essayer une paire de vrais souliers quand je fus assailli par un :

– Que faites-vous ici ?

L'habit fait le moine

Je poussai un soupir de soulagement :

– Oh les gars ! Vous m'avez foutu la trouille !

Édouard, dont la voix muait, avait réussi à pousser le même rugissement que Chenu, le concierge. Victor se tenait derrière lui, rigolant sans bruit. Il y avait aussi Michel et Grégoire...

– On t'a aperçu quand tu as sauté le mur, expliqua Victor. Où étais-tu ? Tu sais que tout le monde te cherche ?

Je pris un ton assuré :

– Ça, je m'en moque. Vous ne me reverrez plus ici, les gars.

– Qu'est-ce que tu veux faire ?

– Je suis sur une piste.

– Une piste de quoi ?

Ils étaient de toute confiance, les copains de l'orphelinat, mais je ne devais pas prendre le risque que l'un d'eux prononce une parole imprudente qui mettrait le directeur au courant du genre d'endroit où on pouvait me trouver.

Je leur racontai donc mon histoire un peu transfigurée, qui se déroulait dans les bas quartiers de la ville, où j'avais surpris une bande de voleurs qui venait de cacher son butin dans une maison.

– Ils t'ont vu ?

– Oui.

– Qu'est-ce qu'ils t'ont fait ?

– Rien... Enfin, le premier qui m'a vu ne m'a rien fait, mais ensuite, un autre a essayé de m'attirer dans un guet-apens.

Et en prononçant ces mots, je me rendis compte qu'effectivement, tout s'était bien passé comme ça. Aucun hasard. L'autre était un vieux, habillé de la même façon que le premier, et il avait réellement voulu m'attirer dans un piège, me faire entrer dans la maison.

Bien sûr ! C'est pour ça que, d'instinct, j'avais été pris de panique. Mon intuition était bonne : on voulait me capturer ! Pourquoi ? ... Parce que j'avais vu tout ce qui s'était passé avec le premier, le linge rougi qu'il tenait et sa fausse mort !

– Antonin... Qu'est-ce que tu as ?

– Rien... Rien... Je crois que je suis en danger.

– Alors reviens ! Ici, personne ne peut rien contre toi !

C'était bien la première fois que je me représentais l'orphelinat comme un refuge et non comme une prison.

– Eh ! lança Édouard ! Vous voyez bien qu'il blague !

– Je ne crois pas, dit Victor avec sérieux. Il faut que tu restes ici, on expliquera tout au directeur et il te pardonnera.

Ce trop bon copain de Victor ! Je le sentais capable de me dénoncer pour me sauver !

Reprenant le dessus sur mes craintes, je ne pensai plus qu'à mon envie d'être libre et de découvrir la clé de cette histoire. Je répondis d'un ton sarcastique :

– Mais oui, c'est une blague ! Vous allez voir ça, les copains, je vais me débrouiller comme un champion et faire fortune dans le monde du dehors.

La porte grinça, et le visage du concierge y passa. Je soufflai la chandelle, ramassai d'un grand mouvement de bras mon tas d'habits et bondit dans l'escalier vermoulu.

Ma fuite fut accompagnée par les cris des autres, là-haut, que je devinais en train de faire les grimaces les plus affreuses au pauvre concierge rouge de colère.

– *Eeeeh ! Chenu ! Attention à toi,*

« *Nous sommes les fantômes de l'orphelinat...*

Je n'entendis pas la suite. Débouchant dans le jardin, je les remerciai du fond de moi d'avoir couvert ma fuite. Le lendemain, ils seraient au pain sec et à l'eau et goûteraient du cachot – pour une journée seulement, je l'espérais. Je me consolai en songeant que, comme il n'y avait qu'un seul cachot, à quatre dedans ils n'allaient pas vraiment s'ennuyer.

Moi, j'allais revêtir mes beaux vêtements en espérant que, contrairement à ce que nous rabâchait le directeur, l'habit faisait le moine, et que le notaire n'y verrait que du feu.

- 10 -

Mystérieux parchemin

Mes nouveaux habits me parurent d'abord trop beaux pour moi (ainsi qu'on me l'avait toujours fait comprendre), cependant je m'y habituai peu à peu. Je n'avais pas atteint la porte du notaire que, déjà, je me sentais neuf. Je veux dire que j'étais un homme neuf.

Je pris une grande inspiration et me redressai, puis je tirai sur la corde de la cloche.

La petite personne sèche à chignon blanc qui vint m'ouvrir me détailla de la tête aux pieds avant de m'autoriser à entrer. Je dus faire des prouesses pour marcher convenablement avec les chaussures récupérées dans le coffre. Je n'avais pas eu le temps de les essayer, et elles étaient beaucoup trop grandes pour moi, ce qui m'obligeait à une démarche de canard pour ne pas les perdre à chaque pas.

Je demandai d'un ton de voix modéré à voir le notaire pour une affaire *privée*.

La femme m'examina encore un instant, avant de m'ordonner :

– Entrez ici. Maître Lombard va vous recevoir dès qu'il sera disponible.

« Lombard »... C'est le nom que je n'avais pas réussi à lire au-dessous de « Notaire ».

✧ ✧
✧

La pièce dans laquelle on me fit attendre sentait le moisi, mais elle était couverte de vieilles boiseries et meublée d'un sofa et de fauteuils qui me semblèrent magnifiques. En tout cas, je n'en avais jamais vu de pareils.

Je tentai fiévreusement de prendre un air détaché et de ne pas accorder d'attention à ce qui m'entourait. Bientôt, je parvins même à arborer la moue de celui qui en a vu d'autres : ces meubles étaient de pauvre goût. Chez moi, Antonin Duchâteau, il y en avait d'infiniment plus beaux !

C'est dans cet état d'esprit que je pénétrai dans le bureau de Maître Lombard.

Celui-ci me parut d'âge moyen, bedonnant comme j'imaginais que devait l'être un homme riche, avec de volumineuses rouflaquettes qu'il caressait de temps en temps du bout de l'index. Je lui exposai mon *cas*.

— Je vois, conclut-il. Vous êtes donc l'héritier d'une très grosse fortune et vous souhaitez acquérir une maison d'importance... Seulement votre jeune âge m'oblige à traiter cette affaire avec votre tuteur. Qui est-il ?

Je n'avais pas pensé à ce problème et fis semblant de m'intéresser un moment au spectacle de la rue, ce qui me donna le temps de réfléchir.

— Je vous l'enverrai évidemment, répondis-je enfin, si l'affaire m'intéresse. Je vous enverrai aussi l'intendant qui gère mes domaines et que j'ai laissé dans mon cabriolet, à deux rues de chez vous. Comprenez, je ne souhaitais pas qu'ils influencent mon choix.

Le notaire opina du chef. Tout allait bien. Je repris :

— J'ai remarqué que votre maison est appuyée sur une grosse bâtisse rouge qui me semble inoccupée et qui, à ce qu'on m'a dit, est à vendre.

Le notaire me considéra avec des yeux ronds, avant de demander :

– À vendre ? Vous connaissez les propriétaires ?

– Euh... non... Mais vous savez qui ils sont, je suppose.

Maître Lombard hocha de nouveau la tête en soupirant :

– Si je le savais ! Moi aussi, j'aurais bien voulu acheter la bâtisse pour la louer comme entrepôt, malheureusement elle n'est pas à vendre, on vous a induit en erreur. J'ai eu beau fouiller dans tous les documents, rien n'indique un nom de propriétaire. Le bâtiment appartient à une société. La Société de la Pierre de Feu... Je me suis toujours demandé ce qu'elle était sans avoir jamais trouvé de réponse.

– Cette maison lui appartient depuis longtemps ?

– Aussi loin que remontent les documents.

– Mais alors, ces gens-là sont morts !

– Les premiers sociétaires, naturellement. Toutefois une société ne s'éteint pas avec ses premiers membres. Elle se perpétue, pendant des siècles souvent, des nouveaux succédant aux anciens. Le problème est que le nom des membres ne figure pas sur les registres et que j'ignore qui ils sont. J'ai juste le sceau sur l'acte de propriété.

Le notaire fouilla dans un placard rempli de paperasses et extirpa un document enroulé sur lui-même.

– Voyez, indiqua-t-il, ce n'est même pas du papier, c'est du parchemin. Voici la marque.

Et il me montra un sceau de cire rouge au bas du document. Il représentait une sorte d'œuf avec, gravé dessus, un dragon qui se mordait la queue.

L'aspect du parchemin, le dessin en relief sur le sceau de cire, m'impressionnèrent. L'écriture me parut soignée, mais il me fut évidemment impossible de la lire.

– Une société secrète, sans doute, murmura le notaire. J'ai cru discerner sur le parchemin la date de 1341, sans certitude aucune, car c'est presque effacé.

La crainte recommença à m'envahir, rendant ma voix mal assurée :

– Vous... avez vu les actuels occupants ?

– Jamais. Jamais personne. Peut-être ne viennent-ils qu'épisodiquement, avec discrétion, mais ils viennent, puisque le bâtiment est entretenu. S'il n'y avait pas quelqu'un pour s'en occuper, il se serait effondré depuis longtemps. Voyez les boutiques d'en face, dans l'impasse du Louis d'Or.

– Louis d'Or...

Je demandai si ce nom avait quelque chose à voir avec cette fameuse société qui possédait la bâtisse.

– Rien, affirma le notaire. C'est juste qu'on a retrouvé dans cette impasse, au siècle dernier, un louis d'or... Je suis en train de penser que si vous cherchez une grande maison, j'ai dans le quartier Saint-Guillaume un client qui...

– C'est ici que je la voulais, précisai-je. Tant pis, je reviendrai vous rendre visite de temps en temps pour voir si une occasion se présente.

– Comme il vous plaira. De toute façon, je conserve votre nom... Antonin Duchâteau.

La Société de la Pierre de Feu

La Société de la Pierre de Feu...

Qu'est-ce que ça pouvait bien être qu'une pierre de feu ? Une pierre à briquet ? Ce serait étonnant. Trop banal pour avoir pour symbole ce dragon terrifiant qui se mordait la queue...

D'ailleurs une pierre à briquet ne ressemblait pas à un œuf.

Je m'accroupis pour récupérer mon sac de toile derrière le tas de vieilles planches où je l'avais laissé.

– Antonin Larue !

Au son de cette voix pincée, un seul réflexe : la fuite. J'accrochai mon sac à mon cou et me mis à courir comme un fou, droit devant.

— Arrête-toi, Antonin, tu aggraves ton cas ! cria la voix du directeur de l'orphelinat, ce cher Adolphe Frogeard. Arrête, c'est ta dernière chance !

Ma dernière chance était de m'échapper. Et c'était facile : je connaissais toutes les rues, tous les passages, même les couloirs discrets des maisons par lesquels on pouvait gagner une autre voie.

En un rien de temps, je semai sa majesté le directeur... et mes souliers neufs, hélas !

Aujourd'hui, je pense que Frogeard n'était pas un mauvais homme. Il voulait simplement l'ordre, qu'aucune tête ne dépasse. Il ne nous voyait pas vraiment. Nous étions un nom, un numéro inscrit sur la plaque que nous portions au cou. S'il me rappelait, ce n'était pas pour mon bien ni parce qu'il tenait à moi, mais pour que tous les lits soient occupés au dortoir et pour que son registre reste à jour. Un trou dans la file indienne, ça ne faisait pas net.

Adolphe Frogeard. Rien que ce nom me donnait des boutons. Je l'avais semé, oublié, rendu au néant, gommé de ma vie. Avec jubilation (et une petite brûlure qui me fit du bien), j'arrachai violemment la plaque pendue à mon cou, je la pris par sa chaîne entre le pouce et l'index et me campai sur une grille d'égout. Numéro 213. Je lâchai.

Un tintement métallique. Le numéro 213 s'engloutit à tout jamais dans le fond de l'oubli. Liberté ! Je me sentis grandir – c'est le directeur, qui aurait été content !

Car, une fois par an, Frogeard nous mesurait, en maugréant autant contre celui qui n'avait pas assez grandi que contre celui qui avait trop poussé. Il y avait des normes, bon sang ! Qu'on respecte les normes !

Moi, j'étais de ceux qui n'évoluaient guère, et il y voyait comme une offense : je mettais de la mauvaise volonté, voilà ! Cette année pourtant l'avait rassuré un peu – j'avais pris quelques centimètres –, mais ça ne lui suffisait pas encore.

– Larue, disait-il, si vous ne faites pas un effort, vous n'atteindrez jamais la bonne taille, et la Marine ne voudra pas de vous.

La Marine, je m'en fichais comme de l'an quarante. D'ailleurs, j'avais horreur de l'eau.

Tout à mes pensées, j'avais enfilé une rue après l'autre sans savoir où j'allais, mais je crois qu'en vérité j'avais tourné en rond.

Je regardai autour de moi. Je me trouvai dans une petite cour carrée que je ne reconnaissais pas. C'était peut-être un bon endroit pour changer de vêtements, remettre mes vieilles hardes et retourner au moulin à papier pour vendre celles-ci. De toute façon, elles étaient beaucoup trop belles pour traîner dans les rues, et j'allais me faire remarquer.

Oui mais ces beaux vêtements pouvaient encore m'être utiles... J'hésitais sur la conduite à tenir lorsque je sentis comme un souffle, une présence près de moi. Je levai les yeux avec prudence.

La cour était pleine de vieillards en haut-de-forme et pantalon rayé qui me fixaient d'un regard intense ! Une main m'agrippa la manche.

- 12 -

La voiture

Je me suis longtemps demandé comment je m'en étais tiré. Je crois que j'avais bondi vers le mur, escaladé en m'accrochant aux pierres. Des pierres mal taillées, car mes mains en furent douloureusement râpées. J'étais retombé de l'autre côté, j'avais couru, je ne sais. En tout cas ils n'étaient plus là. Je me rappelle avoir sauté dans le canal, nagé de toute la force de mes bras, et quand j'étais remonté, ruisselant, sur l'autre rive, il n'y avait plus personne à mes trousses. C'est alors que je m'étais aperçu que j'avais perdu ma veste. Était-elle restée entre leurs mains ?

Je me félicitai de ma petite taille et aussi de mon habitude de faire le mur de l'orphelinat. Quoiqu'en pense la Direction, c'étaient mes *déviations par rapport à la Norme* qui m'avaient sauvé la vie.

Un peu calmé, j'analysai la situation. C'était la deuxième fois que ce genre de chose m'arrivait. Les vieux. Et, cette fois, il y en avait plein. Qui me guettaient. Pourquoi ? Avaient-ils assez de pouvoir pour m'attirer dans la cour sans que je m'en aperçoive ? Un pouvoir... maléfique ?

Oh ! je ne me faisais plus d'illusions, je savais maintenant pourquoi ils me guettaient : parce que j'avais vu la porte et la tache de sang. Cette porte et cette tache rouge existaient donc bien, elles n'étaient pas le produit de mon imagination. Les vieux voulaient-ils me tuer ? M'empêcher de parler de ce que j'avais vu ?

Pfff... Si j'en disais le moindre mot, qui me croirait ?

En tout cas, il était impératif que je change de quartier, c'était ma seule planche de salut. Je n'avais qu'une vie, une petite vie, et je tenais à la garder. Pas seulement pour moi, mais parce qu'il y avait une autre vie qui dépendait de la mienne : ma petite sœur Antonine. Je n'avais qu'elle au monde, et elle n'avait que moi. Dès que j'en aurais l'âge, je la sortirais de l'orphelinat, et je lui offrirais une vie de reine.

Oui..., mais avant, il fallait que je fasse fortune.

Je laissai finalement mes vieux vêtements dans mon sac (ils étaient aussi mouillés que ceux que j'avais sur moi) et me contentai de récupérer mes chaussures éculées, puis ma veste trouée aux coudes pour remplacer la belle que j'avais perdue.

La pensée soudaine de cette veste perdue m'inquiéta : elle était entre leurs mains. Dans les mains des vieux de la bâtisse aveugle. Si c'étaient des sorciers, elle leur donnerait peut-être du pouvoir sur moi. J'en eus froid dans le dos.

Je songeai avec de plus en plus de conviction qu'ils avaient bel et bien guidé mes pas vers eux... Ces gens-là étaient donc des sorciers ou quelque chose de ce genre. Ils ouvraient des portes qui n'existaient pas, ils apparaissaient subitement, venant d'on ne savait où...

Toutefois, me disais-je pour me rassurer, ils n'avaient pas réussi à me courir après. Leur pouvoir était donc limité.

Ils ne m'auraient pas, non, jamais !

Et sur cette ferme résolution, grelottant dans mes vêtements trempés, je décidai de mon nouveau quartier : ici. Je demeurerai loin d'eux, de ce côté-ci du canal.

✧ ✧
✧

71

Je repris le travail.

– Chiffonnier ! donnez vos vieux chiffons !

J'entrais dans les arrière-cours, là où l'on peut parler et échanger avec plus de facilité, là où on n'hésite pas à vous donner des hardes honteusement usées sans que les voisins en sachent rien.

Moi, je m'en moquais, de l'état de leurs fripes. Bien sûr, les déchets valaient moins cher, mais c'était toujours ça, et il fallait bien que j'assure ma subsistance.

– Chiffonnier !

– File de là, vaurien !

Une grosse concierge qui balayait devant sa porte fit le geste de me balayer aussi. Je lançai d'un ton venimeux :

– Le diable te patafiole, pouffiasse !

Elle se signa d'un air outré et me lança un regard fumant. Je m'éloignai en ricanant, cependant je ne ricanais qu'en dehors. En dedans, j'étais plein de rage.

Je ne faisais rien de mal, pourquoi me chasser ? J'étais trop pauvre, et j'avais besoin des vieilles hardes des autres pour vivre ? Et alors ? Ils verraient bientôt, ces... – je crachai avec dégoût – un jour je les ferai ramper à mes pieds, ces sales porcs.

– Petit !

Ma colère tomba d'un coup. Une belle voiture à cheval venait de s'arrêter près de moi, et une femme voilée de noir parut à la fenêtre.

– Petit, si tu veux, j'ai des choses pour toi, beaucoup de vêtements qui ont appartenu à mon pauvre mari. Il n'est plus, hélas, et je ne veux pas garder ces souvenirs qui me brisent le cœur. Cela t'intéresse-t-il ?

– Bien sûr, je peux venir avec vous.

La femme sembla hésiter, puis elle entrouvrit sa portière. Je songeai alors que ma veste trouée n'était pas à la hauteur du carrosse et proposai :

– Je monte derrière.

Elle inclina simplement la tête et referma la portière.

D'un bond agile, je me hissai sur la petite plate-forme de l'arrière et m'agrippai aux poignées de bois. Et fouette cocher !

Chemin faisant, je supputais combien pouvait me rapporter cette affaire, surtout que les vêtements n'étaient sûrement pas de vieilles nippes élimées : il n'y aurait que du bon tissu, solide, qui ferait du papier de grande qualité.

Nous passâmes les faubourgs pouilleux et nous enfonçâmes dans la campagne.

Je n'avais absolument aucune méfiance.

13

L'enlèvement

Je faillis lâcher prise quand on aborda un chemin caillouteux qui secouait rudement la voiture. Le cocher tira sur les rênes et l'arrêta. On n'était arrivés nulle part. Pas une maison à l'horizon.

La femme ouvrit la portière :

– Monte à côté de moi, petit. À partir d'ici, le chemin est un peu dur. Cette banquette sera plus confortable pour toi.

Je ne me le fis pas dire deux fois et grimpai dans la voiture. Sans méfiance, je le répète.

La femme se glissa vers le bout du siège pour me laisser de la place et (peut-être) ne pas se trouver trop près d'un chiffonnier... Elle était en grand deuil, vêtue de noir de la tête aux pieds, ce qui semblait indiquer que la mort de son mari était récente.

— Vous êtes bien jeune, observa-t-elle sans me regarder.

— Douze ans.

— C'est trop jeune pour courir les rues.

Je ne fis pas de commentaire (il était inutile et même contre-indiqué de parler de l'orphelinat), je répondis simplement :

— Je m'appelle Antonin.

— Et moi Pernelle.

Il me sembla très curieux qu'elle me dise son prénom au lieu de se présenter comme Mme Untel. Pour une personne riche, elle était bien simple et aimable, et elle agissait comme une jeune fille. Est-ce que j'avais près de moi ce genre de femme qui a épousé, au sortir de l'adolescence, un vieux barbon et se retrouve veuve avant d'avoir atteint vingt-cinq ans ?

À cause des rideaux de velours aux fenêtres, je ne voyais pas dehors, mais j'eus l'impression que la voiture prenait un virage très accentué. Je crus même un moment qu'on avait fait demi-tour.

— « Pernelle », remarquai-je, c'est un drôle de prénom.

— Pas *drôle*, dit-elle, seulement ancien.

La voiture cahota, les rideaux bougèrent et un rayon de soleil tomba sur mon genou. Je le fixai un moment, un peu mal à l'aise. Pourquoi un simple rayon de soleil m'impressionnait-il ?

Je regardai vers la fenêtre. Le rideau s'était refermé.

Mais... tout à l'heure, le soleil n'arrivait pas de cette fenêtre... Or le soleil n'avait pu changer de côté. C'est nous qui avions changé de côté !

Je demandai :

— Nous avons fait demi-tour ?

Pernelle eut un soupir amusé et commenta :

— La route est épouvantable par ici, très sinueuse, et les virages sont de véritables épingles à cheveux.

Et lentement, elle ôta ses gants de dentelle noire.

Je cessai de respirer. La femme avait des mains décharnées, toutes ridées et anguleuses, de très vieilles mains... C'était une très vieille femme !

À peine cette information capitale fut-elle parvenue à mon cerveau que je me précipitai vers la portière. Hélas ! malgré mes efforts violents pour peser de tout mon poids sur la poignée, elle ne bougea pas.

La femme n'eut guère de réaction. Elle me sembla d'un calme mortel... Mortel pour moi. Elle informa simplement d'un ton de voix uni :

– Les portières sont bloquées. Rien ne pourra les faire céder.

Je hurlai :

– Qui êtes-vous ? Que me voulez-vous ?

– Je suis Pernelle, je te l'ai dit. Mais tu t'affoles, tu t'affoles... Sais-tu seulement pourquoi ? Qu'est-ce qui te fait croire que tu cours un quelconque danger ?

J'étais trop paniqué pour répondre. C'était leur troisième tentative pour me capturer et, cette fois, ils avaient réussi. Et d'ailleurs je m'étais jeté de moi-même dans la gueule du loup.

14

Les pierres de l'enfer

La voiture s'arrêta enfin. J'étais dans l'incapacité d'aligner deux pensées cohérentes. Mon sang battait violemment à mes tempes et je me vis comme paralysé.

La portière s'ouvrit. Je ne bougeai pas, je ne respirais même plus, comme si mon immobilité au fond de cette voiture pouvait seule protéger ma vie.

Je ne sais pas ce qui vint à bout de ma résistance, ce qui put me faire changer d'avis, il me semblait qu'on m'avait seulement dit : « Descends », et j'étais descendu.

Je me trouvais dans une pièce immense, très haute de plafond, sans fenêtres, éclairée uniquement par des torches de résine grosses comme des maillets de moulin à papier. Devant moi étaient alignés une dizaine de vieillards, vêtus de grands manteaux de velours bordés de fourrure et d'un bonnet rond assorti. Dessous, ils portaient une robe sombre.

L'un fit quelques pas vers moi, dans le silence de ses chaussons de feutre. Il me dévisagea, hocha la tête avec lenteur, puis retourna à sa place sans avoir rien dit. Pour l'instant, ces hommes ne semblaient pas agressifs, seulement attentifs. Ils me détaillaient tous de la tête aux pieds, comme à la foire les maquignons qui veulent acheter un cheval, et je ne leur paraissais visiblement pas une bonne affaire. Je soufflai :

– Qu'allez-vous me faire ?...

Ils ne répondirent pas.

À mon tour, je les observai avec crainte. Je reconnus le petit barbu au bout du rang : c'était celui que j'avais vu le premier jour, avec son linge taché de rouge. Il n'était pas habillé de la même façon, bien sûr, mais c'était lui. Et l'autre, là, le grand, celui qui m'avait proposé un emploi de secrétaire...

La vieille, Pernelle, rejoignit silencieusement le rang et prit place à côté de l'homme qui se tenait au centre. Elle était la seule femme de l'assemblée.

Le vieillard du milieu eut alors un geste de la main pour me désigner et, avec un rictus désagréable sur son visage parcheminé, il déclara :

– Antonin Larue, numéro 213, orphelinat Saint-Vincent-de-Paul. Trouvé dans la rue des Fossés, au mois de mai, voilà sept ans.

L'espoir fou me vint qu'ils étaient au service de l'orphelinat pour récupérer les fugueurs, mais cet espoir ne résista guère :

– Tu es le bienvenu parmi nous, finit le vieillard en esquissant une sorte de grimace plus accentuée que la première.

Ma peur s'effaça devant la colère.

– Je ne veux pas être le bienvenu. Je veux partir, on va s'inquiéter de moi à l'orphelinat.

Les hommes ne réagirent pas. La plupart portaient de petites lunettes ovales et me regardaient par-dessus. Enfin, l'homme du centre (le chef ?) me considéra avec un sourire narquois et nota :

– Tu as quitté l'orphelinat et passé déjà une nuit dehors. Qu'on s'inquiète de toi ne peut guère te toucher et c'est même, à mon avis, le dernier de tes soucis. Rassure-toi, personne ne peut te trouver ici.

Me rassurer ?

Où étais-je ? J'avais beau lutter contre cette idée, j'étais sûr que je me trouvais à l'intérieur de la grosse bâtisse de pierre lie-de-vin, bien que d'ici je ne percevais pas la couleur des pierres, car tout était badigeonné de jaune...

De jaune ? Les paroles du mendiant me revinrent. Serait-il possible qu'il s'agisse d'or ? Les pierres de l'enfer !

Cette pensée m'abasourdit. J'avais beau me répéter les mots de Pernelle : « Qu'est-ce qui te fais croire que tu cours un quelconque danger ? », l'angoisse m'étreignait. Puis je me rendis compte que cette phrase posait juste une question, elle ne sous-entendait pas forcément que je n'avais rien à craindre.

Une seule chose était sûre : ces gens savaient tout de ma pauvre personne et moi rien d'eux. J'étais entre les mains de sorciers. Qu'allaient-ils faire de moi ? Pris de panique, je criai :

– Que me voulez-vous ? Je ne peux vous servir à rien, je ne sais rien, même pas lire ! Je suis trop petit pour mon âge et le directeur de l'orphelinat dit que j'ai l'esprit tordu.

– Nous ne te demandons pas de nous servir en quoi que ce soit. Nous te gardons simplement pour que tu ne nous nuises pas à l'extérieur.

J'en fus sidéré. Enfin, je protestai :

– Je n'ai pas l'intention de vous nuire, je me fiche bien de vous !

– Tu as vu Ernoul, expliqua le chef, tu as vu la porte et tu es même entré...

– Je ne révélerai rien.

– Un jour ou l'autre, tu ne pourras t'en empêcher.

– Non, je vous le jure ! Jamais, jusqu'à ma mort, je n'ouvrirai la bouche !

Ça ne les impressionna pas. Ils firent exactement comme si je n'avais rien dit et quittèrent la pièce en une procession silencieuse, sans un regard pour moi. C'était comme si je n'existais pas.

15

L'antre des sorciers

Je me laissai choir au pied d'un des piliers colossaux qui soutenaient la voûte, trop anéanti pour pleurer. Devrais-je passer le reste de ma vie entre ces murs ?

Et ma vie serait-elle longue ?

Je mis un moment à me rendre compte que les grandes dalles de pierre qui couvraient le sol n'étaient pas froides, mais agréablement tièdes. Cela attira mon attention sur le fait qu'il régnait ici une atmosphère très particulière, si particulière qu'il m'était impossible de déterminer si j'avais chaud ou froid. Rien. Je n'avais... rien. Aucune sensation.

Mes yeux firent le tour de la vaste salle. Elle était longée de tous côtés par une galerie délimitée par des piliers plus fins, et qui semblait desservir d'autres pièces. Nulle part, je ne voyais d'issue pouvant mener vers l'extérieur.

Je me relevai en silence et jetai un regard vers la porte par laquelle les vieux avaient disparu. Elle était précédée de trois marches. Je demeurai immobile, à fixer ces trois marches, sans me résoudre à faire un mouvement d'un côté ou de l'autre. J'avais l'impression d'être cerné.

Finalement, à pas prudents, je m'approchai du petit escalier.

Il montait à une pièce pas très grande mais très encombrée. Collé au mur, je me glissai jusqu'à l'ouverture. Ils étaient entrés par cette porte et, pourtant je ne sentais aucune présence dans la pièce. J'étais presque sûr qu'ils n'y étaient pas, qu'ils s'étaient volatilisés.

Par la porte venaient des bruits de succion et d'ébullition qui m'inquiétèrent plus que tout, car je ne pus m'empêcher de les associer aux images terrifiantes qu'on nous montrait de l'Enfer, où des gens piqués sur des fourches étaient précipités dans les bouillonnements infernaux des flots de lave brûlante.

Les Portes de l'Enfer...

Il n'y avait pas de cris, pas de gémissements dans la pièce, juste le soupir répété des bulles qui crevaient à la surface d'un liquide épais.

Mû par cette maudite curiosité, j'entrai à pas feutrés.

– Cela t'intéresse ?

Je sursautai. J'avais eu tort de supposer qu'ils avaient disparu et de me croire autorisé à me pencher sur le chaudron qui chauffait sur un gros poêle près de l'entrée. Le petit vieux, Ernoul (c'est drôle, je ne savais de ces adultes que leur prénom), me considérait avec une sorte de ricanement un peu bête. Je bredouillai :

– Je voulais juste voir...

– Comme tout curieux !

– Non non... je...

– Si si, ne te défends pas. Il est normal d'être curieux. Seul le curieux fait avancer la science, seul le curieux fait marcher le monde.

Je regardai alors vraiment autour de moi : partout, des creusets remplis de liquide, des cornues de verre, des alambics, des vases, des pinces, des tisonniers, des marteaux, des soufflets. Et puis des miroirs, des sabliers, des horloges à balancier, des livres sur des étagères.

Sans plus s'occuper de moi, le vieux s'approcha du chaudron qui bouillonnait et remua le contenu avec une longue cuillère de bois.

– Es-tu de ces crédules ? demanda-t-il enfin.

Je ne comprenais pas ce qu'il voulait dire et me contentai de reculer un peu.

– Tu crois qu'on peut en obtenir avec des serpents ? reprit-il. Ou avec des cheveux, des scorpions, de la bave de crapaud, de l'urine de chèvre ?

Méfiant, je murmurai :

– Obtenir quoi ?

Le vieux tourna la tête vers moi, comme surpris de ma question, puis il recommença à remuer le bouillon sans faire mine de me répondre.

– Ne touche à rien, dit-il enfin, sinon ça pourrait t'exploser à la figure.

Après quoi, il repartit et monta quelques marches jusqu'à une autre pièce. Une fontaine chuchotait dans un renfoncement le long de l'escalier. Indécis, je le suivis finalement et je montai à mon tour. Cette seconde pièce était plus petite, et ce que je remarquai en premier, dans l'angle du fond, me rassura : un petit autel avec une statue de saint dans une niche, et une grande croix accrochée au mur.

On m'avait toujours dit que les sorciers étaient ennemis de Dieu et ne pouvaient supporter la vue d'une croix. Il était donc clair que ces hommes n'avaient pas conclu de pacte avec le Diable. Ce n'étaient pas des sorciers ! Quel soulagement !

Mais qu'étaient-ils, alors ? Des magiciens ?

Outre le petit autel, je voyais une grosse cornue de verre à deux ventres communicants, une horloge et un énorme sablier. Pour le reste, c'était le même bazar que dans la première pièce, sauf qu'il y avait en plus un grand fourneau et une sorte de brasero.

Je reculai en entendant une voix venant de derrière le fourneau.

– Attendons demain. Qu'en penses-tu, Barthélemy ?

C'était Pernelle. Elle s'adressait à celui qui m'avait paru être le chef et que j'apercevais maintenant. Ce dernier eut un vague geste de la main puis, découvrant ma présence, appela :

– Viens, si tu veux.

Son expression n'était pas menaçante, seulement un peu bourrue, comme s'il était mécontent de me voir là, mais en prenait son parti.

Un peu rassuré par le crucifix qui veillait sur nous, j'osai un nouveau pas sur l'escalier.

C'est là que j'entendis un bruit sec. Le crucifix venait de se détacher du mur et de chuter lourdement sur le sol.

Cela me fit une impression terrible. Et surtout parce que les vieux ne se préoccupèrent pas du tout de l'incident et continuèrent d'observer avec attention un gaz qui s'échappait d'une cornue de verre.

Je fis deux pas en arrière. C'étaient bien des sorciers ! Je ne devais surtout rien apprendre d'eux, sinon ils m'entraîneraient dans leur sabbat maudit, et je serais moi-même maudit à jamais !

Comme j'étais le seul à avoir prêté attention à la chute de la croix, ils ne remarquèrent pas immédiatement que j'avais tout compris. Cependant, ils durent voir la tête que je faisais, et Barthélemy me demanda :

– De quoi as-tu peur ?

– De rien. Mais je ne veux rien savoir de vos affaires. Rien savoir !

J'avais crié ces mots avec désespoir.

Le vieux haussa les épaules, ramassa le crucifix et le déposa contre le mur sans plus s'occuper de moi. Pernelle me désigna le fourneau :

– Veux-tu au moins voir l'athanor ?

Au lieu de me contrer, elle essayait de me donner confiance par la douceur ! Malgré moi, je tournai les yeux dans la direction qu'elle m'indiquait et, près du fourneau, j'aperçus un œuf de pierre. La Société de la Pierre de Feu ! J'étais dans ses griffes.

Barthélemy ne me regarda même pas. Il saisit l'œuf de pierre et le déposa dans un creux s'ouvrant dans le ventre de ce que Pernelle avait appelé « athanor ». Je me rendis alors compte que, sans le vouloir, j'avais déjà vu quelque chose de leurs pratiques, et que cela risquait de m'enliser dans un marais dont j'aurais du mal à sortir.

Pernelle et Barthélemy contemplaient le fourneau en silence, comme s'il devait en sortir un monstre. Ou un dragon ! Ou Satan lui-même !

Je reculai à pas furtifs. Me sauver. Je devais me sauver !

16

La panique

Pieds nus, je filai à grands pas silencieux dans la galerie circulaire. Savoir. Voir. Trouver l'issue pour filer d'ici le plus vite possible. Ma chance était que les vieux ne s'occupaient pas de moi.

Une chance ?

Je le croyais parce que, dans ma vie, j'avais toujours été surveillé. L'orphelinat avait des yeux dans chaque couloir, chaque pièce, chaque centimètre de la cour.

Ces vieux étaient un peu débiles, ou alors ils ignoraient qu'un enfant prisonnier cherche forcément à s'enfuir. Ils ne connaissaient rien aux enfants.

Ou bien... Ou bien il était tout à fait impossible de s'enfuir.

Cette pensée me frappa comme un coup de poing. Je l'effaçai de mon esprit aussi vite que le père Gaétan ses additions sur le tableau. Savoir. Voir. Fuir.

Les portes que j'ouvrais donnaient toutes sur des chambres. Des chambres tendues de satin et de velours, dans des tons assortis pour chacune : des bleus, des verts, des jaunes, des rouges.

Par où sortir ?

J'examinais les parois, les voûtes, les piliers, j'inspectais tout, mais avec de moins en moins d'attention à cause du découragement, et juste pour garder encore un peu d'espoir. Les portes ouvrant sur l'extérieur, je ne le savais que trop, n'existaient pas vraiment.

Au bord de l'abattement, je pénétrai enfin dans la chambre bleue.

– Tu as bien choisi, lança Pernelle derrière moi, c'est ta chambre.

Je fus incapable de répondre. Je ne voulais pas de cette chambre, je ne voulais rien ! Pourtant aucun son ne sortait de ma bouche.

– La chambre bleue est celle que nous avions prévue pour toi. Le lit te plaît-il ?

Je ne répondis pas. Je n'avais jamais rien vu de plus beau, mais ils ne m'appâteraient pas avec leurs tentures (fussent-elles de satin), ni leur épais matelas de laine, ni leurs fourrures douces et chaudes. Tout cela ne me faisait que peur.

Pernelle eut un hochement de tête, avant de demander :

– Que sais-tu de nous ?

Je criai presque :

– Rien !

– Tu es allé voir maître Lombard...

Bon sang ! Ils étaient donc au courant de tout !

– Maître Lombard ne sait rien, ajouta-t-elle.

Elle baissa la tête, et j'eus l'impression de voir sur son visage un sourire furtif. Sans me regarder, elle frotta un instant ses vieilles mains l'une contre l'autre avant de reprendre :

– T'a-t-il raconté dans quelles circonstances il a acheté sa maison, celle qui s'appuie sur notre mur ?

Je demeurai muet. Cela ne troubla pas la vieille, qui continua sans prêter attention à mon silence :

– Son prédécesseur, l'ancien propriétaire, a longtemps cherché une issue à notre demeure. C'était un curieux. Un curieux maladif. Il a fini pas creuser le mur qui nous séparait. Oui, le creuser ! ... Il a ôté les pierres une à une, jusqu'à ouvrir une brèche entre chez lui et chez nous. Nous l'attendions. Quand il a donné le dernier coup de pioche, notre mur s'est ouvert, et qu'a-t-il vu derrière ?

Je la fixai plus intensément que je n'aurais voulu.

– Le diable... (Évidemment, je sursautai.) Je veux dire Ernoul, qui s'était coloré les joues, ébouriffé les cheveux, et mis deux fausses cornes. Il avait encadré sa tête dans la brèche et fait une grimace affreuse... L'autre reboucha à toute allure et vendit sa maison.

Je demeurai coi. On aurait dit une blague d'écolier et, conté en d'autres lieux, par quelqu'un d'autre, cela m'aurait bien fait rire. Pourquoi la vieille me racontait-elle ça ? Elle reprit :

– Lombard, lui, n'a rien tenté de semblable. Il ne comprend pas, mais cela lui suffit. Et toi... Tu as compris ?

– Je... Je pense que vous êtes la Société de la Pierre de Feu et que vous vous transmettez cette bâtisse les uns aux autres de siècle en siècle.

Pernelle me considéra d'un air bizarre, puis elle soupira :

– Oui...

D'un ton qui voulait dire non.

Je me trompais ? Ce n'était pas cela ?

– Vous... vous êtes des sorciers, n'est-ce pas ? soufflai-je d'une voix oppressée.

La vieille eut une petite moue, comme si elle hésitait sur la réponse à donner. Intrigué, j'insistai :

– Que feriez-vous, sinon, dans vos alambics et vos chaudrons ?

– Ce que nous faisons dans nos chaudrons n'est pas l'important, répliqua Pernelle.

L'important, c'est l'esprit du monde. Arriver à le capter. La fin n'est que le commencement.

« La fin n'est que le commencement » ... Folle ! Elle était folle ! Je n'avais pas affaire à des sorciers, mais à des fous...

Ou à des sorciers fous, ce qui était pire !

17

Très mauvaise nouvelle

Pernelle quitta la chambre d'un air songeur, me laissant estomaqué. Plus de doute : il me fallait partir au plus vite !

Je bondis dans le couloir... et me cognai, hélas, à un vieux auquel je n'avais jusque-là pas prêté attention. Il portait une barbichette pointue et arborait le chapeau haut-de-forme et le pantalon rayé que j'avais vus aux autres, dehors.

– Holà ! lança-t-il en arrêtant ma course. Le monde attend-il ta venue comme celle du Messie ?

Je ne relevai pas sa question, que je compris à peine.

– C'est moi qui sors, martela-t-il, pas toi !

Et disant ces mots, il désigna d'un geste son costume.

– Et sais-tu où je vais ? ajouta-t-il en piquant ma poitrine de son doigt pointu.

Je tentai un signe négatif, juste pour ne pas lui déplaire, un geste si faible et si rapide que je ne sais pas s'il le vit. Ses yeux me faisaient peur.

– *La fin n'est que le commencement*, sais-tu ce que cela veut dire ?

Il n'attendit pas de réponse.

– Tu ne le sais pas, bien sûr. Cela signifie que notre fin sera notre commencement.

Fous. Tous fous à lier.

– Sais-tu pourquoi je sors ?

– ... Non...

– Cela t'intéresse-t- il ?

– Euh... non..., soufflai-je pour lui faire croire que leurs activités me laissaient indifférent.

Il reprit quand même :

— Tu me vois vieux, n'est-ce pas ?

— ...

— Tu crois que je vais mourir ?

Je fis une vague grimace.

— Je ne vais PAS mourir, dit-il en détachant les mots. Ou plutôt, je vais mourir et renaître. Il me suffit de prendre la vie d'un nourrain. Je l'égorge, couic ! (Il exécuta de son doigt un geste très parlant sur son cou.)

J'ignorais ce qu'était un nourrain, et en y réfléchissant, il me sembla qu'il s'agissait d'un mot ancien désignant un cochon de lait.

Le vieux se mit à arpenter la chambre à grands pas, en gesticulant avec colère.

— Que vaut la vie d'un nourrain ? Une machine à manger et à boire, et à pisser. Moins que nos alambics. Tandis que moi, je suis un savant, ma perte serait irréparable. Il faut que je vive !

Je ne saisis pas du tout pourquoi il se comparait à un porcelet et ce que signifiait son discours, alors que je ne lui demandais rien. Une chose seulement me sembla claire : il allait prendre la vie de ce nourrain pour tenter de garder la sienne.

Il fit la moue, une affreuse moue d'édenté, avant de poursuivre :

– Si ça ne marche pas avec le nourrain, j'essayerai autre chose.

Et là, le regard qu'il posa sur moi me fit froid dans le dos.

– Autre... chose ? soufflai-je d'une voix mourante.

Et ma voix avait bien raison de se faire mourante, car il répondit :

– Eh bien oui, toi ! Pourquoi crois-tu que nous t'avons amené ? Tu peux être heureux et fier, car tu vas servir la science. (Il leva un doigt sentencieux.) Tout ce qui entre ici doit servir la Science... Il est tard, va te coucher. Il faut que tu sois en bonne santé si tu veux m'être utile... Enfin ça, c'est seulement si je n'arrive à rien avec le nourrain. Il est temps que je parte.

Et, sur ces mots, il disparut sans que j'aie la présence d'esprit de regarder par où.

18

La fuite

Suffoqué. Dérouté. Affolé. Je ne sus plus où tourner mes pas. J'avais envie de hurler. Je représentais juste une vie à prendre !

Un long moment, je restai prostré contre le lit, puis je me glissai dessous comme si ça pouvait me protéger. J'étais incapable de réfléchir.

Me rencogner dans un trou m'avait toujours rassuré, j'ignorais pourquoi. Ma faculté de raisonner se remit aussitôt en ordre de fonctionnement pour me crier une vérité évidente et sans grande originalité : je devais sortir de là par tous les moyens, même si cela me semblait à première vue impossible.

Voyons... Si je réussissais à comprendre pourquoi j'avais un jour pu pénétrer par une porte, j'aurais peut-être la clé, bien que « clé » ne me paraisse pas un mot approprié : de clé, il n'y avait pas.

J'essayai de me remémorer la scène du premier jour.

Les sergents de ville me poursuivaient. J'avais aperçu une porte... Mais pourquoi avais-je vu une porte à ce moment-là, et plus revue par la suite ? Y avait-il quelque chose de particulier alors ?

Le ciel était gris... Peut-être un temps d'orage était-il indispensable. Ou alors... Je me représentai tout à coup la ruelle sombre, et moi, serrant contre ma poitrine le tissu qui m'avait volé dans les jambes.

La deuxième fois... le vieux m'avait posé la main sur l'épaule, et la porte m'était apparue. La seule présence d'un vieux ouvrait-elle la porte ?

... Pourtant, dans le premier cas, il n'était pas là.

Bon sang bon sang, il me fallait comprendre, et vite !

... Attention, dans le premier cas, j'avais le tissu. Il était possible que quelque chose leur appartenant suffise. J'eus soudain l'impression que je détenais la solution. En tout cas, je devais tenter, c'était ma seule chance.

Je rampai vers le couloir. Il n'y avait personne. Étaient-ils tous près du fourneau, à veiller sur leur œuf de pierre ? Qu'y avait-il dans cet œuf ?

J'accrochai mes galoches autour de mon cou et, glissant sur mes chaussettes trouées, je filai dans les couloirs.

La galerie qui faisait le tour de la grande salle desservait non seulement les chambres, mais aussi d'autres passages voûtés, dans lesquels je n'avais jamais encore osé pénétrer. Pour l'instant, seules les chambres m'intéressaient. J'entrai dans la rouge et tout de suite, je repérai des vêtements pendus à des perches fichées dans le mur. Il y avait là des habits incroyables, de diverses époques, aurait-on dit.

J'attrapai un pantalon rayé – en faisant malencontreusement tomber une veste de satin et une perruque blanche comme en portaient les gens sur le tableau accroché au-dessus du bureau du directeur, à l'orphelinat. Ces vieux-là aimaient à se déguiser... Ou alors ces vêtements avaient appartenu aux différentes générations qui s'étaient succédé ici.

Serrant le pantalon contre moi, je regagnai la galerie circulaire. J'avais remarqué un endroit où il n'y avait pas de porte, un mur aveugle qui était peut-être celui du bord de rue. Je tentai d'abord ma chance par là.

Et je vis une porte ! Une porte qui s'ouvrit sur moi toute grande !

J'étais dehors !

J'en aurais pleuré de bonheur. Je jetai le pantalon maudit, et me mis à courir sur les pavés mouillés. Il faisait presque nuit.

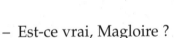

— Est-ce vrai, Magloire ?

Le vieillard agita nerveusement ses lèvres qui peinaient à fermer sa bouche édentée, et sa petite barbiche pointue tremblota.

— C'est vrai, admit-il enfin, je lui ai raconté pour les nourrains.

— Et dit qu'il était menacé ?

— Oui...

— Et il s'est sauvé ! conclut Barthélemy d'un ton de colère.

Pernelle s'approcha de Magloire et, d'une voix qu'elle s'efforçait de garder calme, elle demanda :

— Lui as-tu dit de se sauver ?

— Bien sûr que non !

— Lui as-tu indiqué comment il pouvait se sauver ?

— Non.

— Pas un mot ? Pas un geste ?

Le vieux Magloire prit un ton hésitant :

— En l'informant que je sortais, j'ai désigné d'un geste mon habit. Je ne crois pas qu'il y ait prêté attention.

— Mais inconsciemment, il a pu le remarquer ! Et il a su qu'il fallait nos vêtements pour sortir. Te rends-tu compte de ce que tu viens de faire ?

Il y eut un silence.

– Pourquoi as-tu agi ainsi ? demanda Pernelle

– Vous le savez... Tous, vous le savez ! cria Magloire.

Barthélemy laissa planer son regard sur leur petite société, puis décréta :

– La majorité est contre toi, Magloire.

– La majorité sera bientôt pour moi ! s'écria le vieil édenté.

Personne ne répondit.

– Il faut le retrouver, reprit Barthélemy... Gilles !

Le plus grand des vieillards eut un simple signe de tête :

– Ce n'est pas un problème, ajouta-t-il. D'ailleurs, cette nuit, il faut que je sorte. On est en mai. La rosée de mai est la meilleure.

19

Catastrophe

J'imitai les trois premières notes du chant de la tourterelle, mais la fenêtre ne s'ouvrit pas. J'appelai :

– Antonine ! Antonine !

en évitant de crier trop fort, pour ne pas donner l'éveil à la religieuse de garde.

Enfin, la fenêtre s'entrebâilla, et une voix de fille souffla :

– Antonine est partie.

– Partie ? Où ?

– Son père est venu la chercher.

Je demeurai sans voix : son père ? Notre père ? Bon sang, j'avais... J'avais raté ça !

Mon cœur se contracta si fort que je n'arrivais plus à bouger, ni à respirer. Mon père ! Il était venu ! Comment le retrouver, maintenant ?

Je réagis au moment où je perçus qu'on refermait la fenêtre.

– Attends ! Il faut que tu me dises... Où sont-ils allés ?

– Chut... Je ne sais pas.

– Le nom de notre père, tu le connais ?

– Non, je ne sais rien.

Je m'affolais :

– Mais, comment le retrouver ? À quoi ressemblait-il ? Était-il grand, petit, gros, maigre, riche, pauvre ?

– Il était vieux, lâcha la fille. Très grand et très vieux.

– Très grand et très vieux...

Je sentis mon sang se retirer. Très grand et très vieux !

Bien sûr, des vieilles gens, il y en avait partout et de toutes sortes, mais j'aurais mis ma tête à couper que celui-ci portait un pantalon rayé et un chapeau haut-de-forme.

Les maudits ! Ils avaient enlevé Antonine !

✧ ✧
✧

Je passai la nuit blotti contre un hangar à charbon, dans des tourments affreux, sans parvenir à prendre une décision. Tenter de pénétrer dans la bâtisse rouge me paraissait non seulement difficile, mais dangereux. Comment aider ma petite sœur si j'étais, moi aussi, prisonnier des égorgeurs ?

D'un autre côté, je ne pouvais pas la laisser aux mains de ces assassins fous qui s'imaginaient pouvoir conserver la vie en prenant la vie d'un animal ou d'un enfant !

Je ne vis bientôt plus qu'une solution : avertir la police, au risque de me faire rire au nez et même peut-être reconduire à l'orphelinat, où l'on m'enfermerait au cachot...

Il fallait jouer serré : pas question d'orphelinat, et encore moins de cachot.

Quand on veut éviter la police, on la rencontre partout mais, si par hasard on la cherche, elle semble n'être nulle part. Je galopai dans les rues, de plus en plus affolé par la certitude que chaque minute perdue pouvait être fatale...

C'est au moment où le désespoir allait me jeter sur le chemin du bâtiment maudit que j'aperçus deux sergents de ville tranquillement appuyés au muret bordant le canal.

En me voyant approcher au pas de course, ils me lancèrent un regard interrogatif et méfiant à la fois. De loin, je criai :

— Ils ont enlevé ma sœur !

Et, dans le désordre le plus complet, je parlai du faux père, de l'orphelinat, des sorciers, des porcelets égorgés, du danger que courait ma sœur et de la maison rouge de l'impasse du Louis d'Or.

Ils ne rirent pas, sans doute à cause de mon visage bouleversé. Ils demandèrent finalement :

— Comment t'appelles-tu ?

— Antonin.

J'évitai d'en dire plus.

– Viens avec nous jusqu'au commissariat. Il vaut mieux que tu racontes ça à quelqu'un d'un grade supérieur.

– Mais c'est urgent ! Il faut que vous alliez tout de suite à la bâtisse rouge.

– Hum... Tu dis que l'entrée se trouve impasse du Louis d'Or.

– Oui... Non – je compris soudain l'invraisemblable de ma requête – il n'y a pas vraiment d'entrée, il faut abattre le mur.

Les sergents se consultèrent du regard.

– Écoute, dit l'un d'eux, je ne crois pas beaucoup à ton histoire de sorciers, mais si ta sœur a été enlevée par un groupe de malfaiteurs...

– Pas de simples malfaiteurs : une société secrète !

– Raison de plus, il vaut mieux voir le commissaire. Nous, tu comprends, c'est une affaire qui nous dépasse.

Je vis alors avec angoisse que, même si j'arrivais à convaincre le commissaire – ce qui était loin d'être prouvé – il serait sûrement trop tard pour Antonine. J'eus un geste d'acquiescement :

– Je vais me rendre au commissariat, d'accord...

Et je repartis en courant. Pas en direction du commissariat, naturellement, mais droit vers la maison rouge.

Ils avaient enlevé Antonine pour me punir et la sacrifier à ma place. Ce que j'allais faire était sans doute un peu fou, cependant, s'il arrivait malheur à ma sœur, je ne vois pas quel goût pourrait avoir ma vie. Il fallait que je reprenne ma place là-bas, c'était la seule solution.

20

Dans la gueule du loup

Je n'avais pas réfléchi au moyen de trouver une porte, j'espérais vaguement que le pantalon serait encore là. Je n'eus pas à chercher : Ernoul m'attendait devant le mur.

En me voyant, il eut un simple mouvement de sourcils, démontrant qu'il n'avait pas douté un seul instant que je reviendrais.

Comment avaient-ils appris que j'avais une sœur et que j'y tenais comme à la prunelle de mes yeux ? Savaient-ils aussi combien je me sentais responsable d'elle, et que j'avais toujours eu l'impression que, un jour, mon père me l'avait confiée ?

J'étais un jouet dans leurs mains. Nous étions des jouets.

– Antonin ! s'écria ma sœur en se jetant dans mes bras.

Elle était vivante ! Mon soulagement fut sans bornes.

– Antonin, nous avons retrouvé notre père !

Je chuchotai :

– Ce n'est pas notre père.

Elle me considéra avec de l'étonnement dans ses yeux verts.

– Si, protesta-t-elle, et c'est un très grand savant. Cette nuit, je l'ai aidé à ramasser la rosée de mai pour ses expériences.

– Antonine, soufflai-je, on ne pratique aucune expérience scientifique avec de la rosée de mai, sauf si on est sorcier.

Ma petite sœur eut une mimique désorientée.

– Antonine, répétai-je, je sais que tu aurais envie d'avoir un père, mais ce vieux ne l'est pas, tu comprends ? Il ne l'EST PAS.

M'écoutait-elle vraiment ? Elle regardait quelque chose par-dessus mon épaule, et je tournai vivement la tête. Pernelle était là. Elle prit la main de ma petite sœur et l'entraîna, sans brusquerie, comme s'il y avait déjà un accord entre elles. Je criai :

– Qu'allez-vous lui faire ? Ne lui touchez pas !

– Nous n'allons rien lui faire, lâcha Pernelle d'un ton sec.

La voix chantante de ma petite sœur ajouta :

– Ne t'inquiète pas, Antonin, tu n'as pas à avoir peur.

Pas à avoir peur ? Mais que disait-elle, pauvre innocente ? Comment l'éclairer sur le danger qu'elle courait, alors qu'elle paraissait si peu disposée à écouter mes mises en garde ?

– Anton...

Je ne finis pas. Ernoul m'agrippait par l'épaule avec une force surprenante. Il me poussa dans ma chambre, je fus projeté contre le lit bleu, et la porte se referma sur moi. Je me relevai d'un bond et me jetai dessus en tambourinant de mes poings. Mais l'épaisseur du bois était telle que mes coups ne résonnaient même pas, comme absorbés par un silence de tombeau.

Les poings douloureux, je me laissai choir sur le sol et, pour la première fois depuis des années, je pleurai.

✧ ✧
✧

Je ne sais combien de temps passa. À un moment, quelqu'un entra pour m'apporter à manger. Je ne voulais pas manger. Sorciers !

Puis l'odeur de la nourriture me tourmenta jusque dans mon sommeil et, sans cesser de me répéter que tout était peut-être empoisonné, j'attaquai une tranche de rôti.

J'ignorais de quelle bête venait ce rôti, on ne nous donnait jamais de ce genre de viande à l'orphelinat. Malgré moi, je trouvais ça délicieux. Je me resservis, puis je mangeai du pain, de la salade et des pêches, tout en maudissant ma gourmandise. Bah ! mourir de faim était-il une meilleure mort ?

J'eus l'impression de m'endormir brièvement ensuite, juste assez pour entendre le marteau. Ce bruit de marteau qui frappait tantôt sur le bois tantôt sur le fer était un rêve qui revenait souvent. Pas d'image, juste un son, et pourtant je savais qu'il était produit par une sorte de maillet.

Je fus tiré de ce sommeil agité par la voix de ma sœur :

– Antonin, il est temps de te réveiller !

Je sautai sur mes pieds :

– Antonine ! Tu es vivante !

– Vivante ? Bien sûr... !

Elle me regarda avec un petit sourire et finit d'un air entendu :

– Tu as encore eu un cauchemar...

– Non. Le cauchemar, c'est la réalité... Qu'est-ce que c'est que cette robe que tu portes ?

– Elle est belle, n'est-ce pas ? C'est Pernelle qui me l'a donnée.

La colère s'empara de moi :

– N'accepte rien, Antonine ! N'accepte rien d'eux ! Ne l'appelle pas « Pernelle », ne lui adresse pas la parole !

– Mais Antonin..., objecta-t-elle d'un air déçu.

J'eus un geste d'impatience et demandai d'une voix incisive :

– Tu as parlé avec eux ?

– Oui...

– Sais-tu comment nous pouvons nous sauver ?

– Pourquoi veux-tu te sauver ?

– Parce qu'ils sont dangereux, Antonine. Dangereux, tu m'entends ? Ils en veulent à notre vie.

Elle secoua la tête avec indulgence, ce qui m'inquiéta plus encore.

– Ils ne veulent que notre bien, déclara-t-elle.

– Tu es folle ! Pourquoi nous enfermeraient-ils, alors ?

– À cause de toi. Si tu les dénonces, les gens du dehors sauront qu'ils vivent ici, ils détruiront le bâtiment et ce sera leur fin.

– Tu vois ! Tu vois qu'ils sont dangereux, puisqu'ils sont sûrs qu'on les détruira si on les sait ici !

– Ils ne sont pas dangereux. Ce sont les autres qui sont ignorants. Les ignorants ont peur de ce qu'ils ne comprennent pas.

Son innocence me démonta. Comment pouvait-elle croire de pareilles sornettes ? Qu'avaient-ils pu lui faire pour gagner aussi vite sa confiance ? Je tentai de retrouver mon calme, et lui mis fermement les mains sur les épaules :

– Antonine, ils t'ont bourré le crâne. Ce sont des sorciers. Sais-tu ce qu'ils cherchent ? À ne pas mourir, en prenant pour cela la vie d'un jeune animal... ou la nôtre !

Une pensée soudaine m'assaillit :

– Magloire, as-tu vu Magloire ? Est-il toujours vivant ? Est-il en bonne santé ?

Ma petite sœur parut un peu ébranlée par mes affirmations. Elle fit un signe affirmatif : oui, Magloire était vivant. Il n'était pas malade, au contraire, il paraissait tout à fait bien.

– Ouf ! Il a donc réussi avec le nourrain... Nous sommes en sécurité. Au moins pour un petit moment. Jusqu'à ce que les autres...

– Tu crois vraiment qu'ils nous veulent du mal ?

— C'est sûr. Et Gilles n'est pas ton père.

— Je sais, convint ma petite sœur d'un ton triste.

✧ ✧
✧

Les deux sergents de ville serrèrent contre eux leur capeline de drap. Le vent s'était levé.

— Impasse du Louis d'Or, c'est bien là...

Ils examinèrent la façade lie-de-vin de la grosse bâtisse.

— Il n'y a pas d'ouverture de ce côté-ci.

— C'est ce qu'a dit le gosse. On a déjà fait deux fois le tour du bâtiment, et hier pareil. Il n'y a aucune porte, aucune fenêtre. Ce qui signifie...

— Ce qui signifie qu'on y accède probablement par une des maisons qui y sont accolées, c'est tout... Démolir le mur ! ... Les gosses, tu parles !

— C'est quand même bizarre, ce que nous a raconté ce garçon. Et puis il avait vraiment l'air affolé... J'ai envie d'en toucher un mot au commissaire.

– Pour qu'il nous prenne pour des idiots ?
Ou des crédules, ce qui n'est pas mieux.

– Alors on laisse tomber ?

Les deux hommes de police considérèrent
encore le mur rouge sans bouger.

– Tout de même, reprit l'un d'eux... Et si on
rédigeait juste un rapport : on a été abordés par
un jeune garçon qui nous a raconté une histoire
d'enlèvement et de sorciers. C'est tout. On n'a
pas besoin de dire si on y croit ou si on n'y
croit pas.

– Hum... C'est une solution...

– Il n'empêche, cette maison, elle me fait
un drôle d'effet.

– Oui... Un drôle d'effet.

21

Contaminée !

– Antonine, tu es folle ! Ne va pas les voir !

– Ils connaissent des choses intéressantes, tu sais !

– N'apprends rien d'eux. Si on reçoit l'enseignement de sorciers, on devient sorcier !

Mais il était déjà trop tard, ma petite sœur était contaminée. Elle pouffa de rire :

– Ce ne sont pas des sorciers, dit-elle, ce sont des alchimistes.

– Des alchimistes ? Qu'est-ce que c'est que ça ? C'est pire, non ?

– Bien sûr que non. Ce sont des savants. Ils savent fabriquer de l'or et de l'argent.

– Ma pauvre Antonine, c'est une blague qu'ils t'ont racontée ! L'or se trouve dans la terre, on ne le fabrique pas.

– Ils font de l'or, insista ma petite sœur.

Son assurance m'inquiéta. Elle croyait vraiment tout ce que ces vieux lui disaient ! Elle était ici depuis très peu de temps et, déjà, elle semblait être sous leur emprise.

J'avais toujours eu beaucoup d'influence sur ma petite sœur et, soudain, je me rendais compte qu'elle avait fait du chemin sans moi. Elle était loin de moi. Je n'en fus pas seulement effrayé, mais profondément affecté. Comment la reprendre ? Comment la persuader ?

– Méfie-toi d'eux, bon sang ! Tu vois bien que leur seul but est de nous garder ici. Tout ce qu'ils te disent ne vise qu'à cela. D'ailleurs, leur or, où le fabriqueraient-ils ? Dans l'œuf de pierre ?

Antonine me considéra d'un air surpris.

– Ah non ! C'est dans un creuset, avec le contenu d'un œuf qui est en cristal. Ils fabriquent juste ce qu'il leur faut pour acheter de la nourriture.

Décidément, ma petite sœur était d'une grande crédulité, cependant quelque chose m'intéressa dans ce qu'elle venait de dire.

– Ils sortent pour acheter de la nourriture ? Alors nous pourrions guetter ce moment et en profiter pour...

– Si j'ai bien compris, ils ne sortent qu'une fois par an, m'arrêta ma petite sœur, et ils achètent très loin, à la campagne, dans un endroit différent chaque fois.

– Comment sais-tu cela ?

– Par Pernelle. Ils changent de fournisseur car, comme ils payent avec des pièces d'or, ils finiraient par attirer l'attention.

Cette histoire de pièce d'or me rappela subitement celle du louis d'or trouvé dans l'impasse. Voilà ce qui leur avait donné l'idée de raconter ces inepties à Antonine !

À moins que tout ne soit vrai. Que le louis d'or leur ait même appartenu. Qu'ils en fabriquent par sorcellerie !

– Si tu vois cet or, chuchotai-je à ma sœur, n'y touche pas, tu m'entends, jamais !

– Je n'en ai jamais vu.

– Tant mieux. Ça veut dire qu'il n'existe pas. (Je réfléchis.) Et dans l'œuf de pierre, tu sais ce qu'il y a ?

– Pas de l'or, quelque chose de plus important encore.

– Qu'est-ce qui pourrait être plus important que l'or ?

– Je ne sais pas. Personne ne me l'a dit. Il faut que je retourne là-bas, je dois alimenter le four de l'athanor.

« Alimenter le four de l'athanor » ! Voilà qu'elle parlait comme eux !

Je la rattrapai par le bras. Puisque je ne parvenais pas à la persuader par le raisonnement, je tentai un autre registre :

– Tu acceptes d'être leur esclave, maintenant ?

Je m'arrêtai net en sentant un souffle rauque sur mon cou. Magloire se tenait derrière moi ! Il ne s'adressa qu'à ma sœur :

– Va vite, Antonine, tu as à faire.

Elle s'éloigna d'un pas vif, et cela me fit une impression affreuse, comme si ma petite sœur était en train de me trahir, comme si elle me devenait étrangère.

Magloire se planta devant moi et m'agrippa l'épaule de ses doigts crochus, comme s'il voulait faire pénétrer ses paroles à travers ma peau. Il ouvrit sa vieille bouche fripée..., mais il fut stoppé net par la voix tonnante de Barthélemy :

– Magloire, tu as interdiction de lui adresser la parole !

Le vieil édenté eut un rictus de colère, puis il me fixa dans les yeux avec intensité, avant de relâcher violemment mon épaule et de s'éloigner en serrant les mâchoires.

– Antonin, dit alors Barthélemy d'un ton radouci, veux-tu nous assister dans notre travail ?

– Je ne deviendrai pas votre esclave !

– Esclave ? Qui te parle de cela ? Tu peux juste regarder si tu veux.

– Je ne veux rien voir de vos magouilles de sorcellerie. Et laissez ma sœur tranquille ! Laissez-nous partir !

– Voilà qui n'est pas possible, déclara Barthélemy sans hausser le ton. Et, à cause de toi et de tes bavardages à la police, nous avons dû mettre le bâtiment en sécurité. Aucun de nous ne peut plus entrer ni sortir.

J'essayai de ne montrer aucune réaction à cette annonce catastrophique. Je tournai les talons brutalement et rentrai dans ma chambre.

22

La comédie

Je me sentais si abattu que je n'arrivais même plus à être en colère. Je tentai avec peine de faire le point de la situation. Réfléchissant dans le calme bleu de mon lit, j'en vins à m'étonner de ma propre audace, d'oser leur répondre aussi insolemment. J'y étais d'ailleurs un peu encouragé par leur absence de réaction.

Pourquoi est-ce que je ne craignais pas de leur dire ce que je pensais ? Peut-être parce qu'ils me ménageaient.

Et pourquoi me ménageaient-ils ? Pour me rendre la vie agréable et pouvoir me la prendre quand ils en auraient besoin ? Je n'avais *a priori* rien contre une vie agréable, mais le dernier point de leur programme m'était évidemment insupportable.

Une fois encore, mon œil fit le tour de ma chambre, comme si je pouvais découvrir enfin une solution, une issue que je n'aurais pas encore décelée, une fissure qui laisserait passer le jour du dehors.

Le jour ? Faisait-il clair dehors ? Privé de la lumière du soleil, je n'arrivais plus à savoir à quel moment de la journée nous nous trouvions. Je m'aperçus avec effroi que j'étais même incapable de mesurer le temps, d'évaluer combien de jours et de nuits s'étaient écoulés depuis que nous étions enfermés ici ! Je n'étais pas seulement prisonnier des vieux, j'étais prisonnier du temps !

Ma vie, si courte fût-elle, me parut soudain un long tunnel noir. La rage me prit. Fuir. C'était vital. Tout faire sauter ! Il fallait tout faire sauter !

... Comment ?

J'aurais pu attraper les œufs et les cornues, les poudres et les liquides infects, et tout jeter dans le feu. Ça aurait bien explosé, non ?

Peut-être, sauf qu'Antonine et moi aurions risqué d'exploser avec.

Je pouvais aussi saccager leur antre, provoquer des dégâts si considérables qu'ils m'enverraient au diable...

Mais de quelle façon m'enverraient-ils au diable ? En me tuant, ou en me libérant ?

Et puis, évidemment, s'ils n'avaient pas beaucoup de force physique, ils compensaient par leur nombre.

Je me ressaisis et songeai que mon attitude n'était pas la bonne. C'était à cause d'elle qu'ils avaient mis le bâtiment en sécurité. Il fallait que je pèse tout avant d'agir... Que je les endorme. Que je joue la comédie.

Au lieu de ruer dans les brancards, je ferais semblant de m'intéresser – d'abord un peu seulement, pour que mon revirement ne paraisse pas suspect. Petit à petit, ils se méfieraient moins de moi, jusqu'au jour où, ne pensant plus courir le moindre danger de me voir m'échapper, ils relâcheraient les sécurités.

Sur cette résolution – la première qui me semblât vraiment efficace – je quittai ma chambre et gagnai à pas volontairement boudeurs la salle principale.

J'examinai avec attention les murs, pour donner l'impression que je m'intéressais à ce qu'ils appelaient de l'or. Assurément, cela y ressemblait – encore que je n'avais pas vu beaucoup d'or dans ma vie. En tout cas, j'observais en prenant bien soin de ne pas toucher.

M'avaient-ils remarqué ? Me voyaient-ils attacher de l'importance à leur or ? Je l'ignorais. Je me dirigeai ensuite du même pas traînant vers ce que j'appelais « l'antre des bouillonnements ».

La pièce était déserte, mais j'entendais des voix venant de la seconde pièce. J'y glissai le regard et remarquai, pour la première fois, qu'on y montait par sept marches de pierre. Sept ! Ce chiffre magique redoubla mon malaise.

Un moment, je me tins immobile, sans oser avancer ni reculer. Je regrettais d'être venu.

23

Lion rouge et tête de corbeau

La voix de Pernelle me parvint. Elle paraissait un peu lointaine, pourtant je l'entendais parfaitement. Elle disait :

– ... et ensuite, tu auras le lion rouge. C'est une poudre d'une couleur très vive. La phase suivante sera celle de la tête de corbeau, qui est comme un dépôt noir. Si tu ne le vois pas, il faut recommencer. Au bout de quarante jours, tu dois obtenir le lion vert et, si tout va bien jusque-là, tu es à peu près sûre de réussir le Grand Œuvre.

Des lions rouges et verts ? De quoi s'agissait-il ? Le « Grand Œuvre » ?

Bien que je n'aie aucune idée de ce que signifiaient ces mots, ils me semblèrent désigner une opération considérable, à goût de sorcellerie.

La personne à qui Pernelle expliquait ne pouvait être qu'Antonine, hélas ! Cela acheva de m'alarmer. Que lui enseignaient-ils ? Savaient-ils, tous ces vieux, qu'elle n'avait que neuf ans ?

Non, ils ne le savaient pas ou, du moins, ils étaient trop âgés pour se rappeler ce qu'est un enfant de neuf ans.

Et moi, est-ce que je le savais ? Je crois que, outre mon inquiétude et mon chagrin de voir ma sœur s'éloigner de moi, j'étais un peu vexé de découvrir chez elle une telle faculté d'apprendre. Vexé ? Pas sûr parce que, en même temps, j'étais plutôt fier.

— La chaleur, fais-y très attention, continuait la voix de Pernelle. Il faut l'augmenter graduel-lement pour ne pas avoir de rupture de l'œuf, qui est en verre, ne l'oublie pas. Garde en ton esprit que la matière est UNE. Sais-tu en dire le symbole ?

— Le dragon qui se mord la queue, répondit la voix d'Antonine.

— C'est cela... Autant qu'à l'aspect matériel, veille au spirituel, reprit Pernelle.

Et elle se lança dans un discours auquel je ne saisis pas grand-chose. Même la signification du dragon m'avait paru confuse. Antonine comprenait-elle vraiment, ou récitait-elle une leçon ?

Je repérai au-dessus de ma tête une étagère couverte de livres et, dans un renfoncement à ma gauche, d'autres livres. Il y en avait un plus gros que les autres, gravé au dos en lettres d'or, un B et une autre lettre.

Le B, je le connaissais bien : il était situé au début de l'alphabet. Pour l'autre lettre, j'eus plus de mal à découvrir qu'il s'agissait d'un P. P comme Pernelle.

P comme Pernelle ? Et B... comme Barthélemy ?

Barthélemy et Pernelle, Pernelle et Barthélemy...

Je fus saisi par la colère de savoir si mal lire, car j'étais sûr qu'en ouvrant ce volume, j'aurais appris des choses qui auraient pu m'éclairer sur ce qui se passait ici.

Un rouleau de papier piqué sur un petit cône de bois attira mon attention. Je le saisis.

Ce n'était pas du papier, mais du parchemin, comme chez Maître Lombard, et il n'était pas fermé par un cachet de cire. Je le déroulai.

Il s'agissait d'une liste de mots écrits les uns au-dessous des autres. Les déchiffrer m'aurait pris la journée, et je n'en serais sûrement pas venu à bout. Ça ressemblait un peu à la liste des pensionnaires sur le registre de l'orphelinat. S'agissait-il également d'une liste de noms ?

Je la parcourus d'un œil attentif, mais mon ignorance m'empêcha d'y comprendre quoi que ce soit, sauf que le premier mot commençait par Ba, et qu'il pouvait bien s'agir de Barthélemy.

J'arrivais au bout, découragé, quand mon œil fut attiré par quelque chose. Un nom. Un nom qui m'était familier : le mien.

Je plissai le front et l'étudiai avec une anxiété grandissante. Nul doute : il y avait au bout une lettre de plus. S'étaient-ils trompés ? Était-ce un signe magique signifiant ma mort ?

Je rassemblai tout mon maigre savoir pour débusquer cette intruse, comprendre qui elle était. En un éclair, je compris enfin qu'il s'agissait d'un simple E, et que ce n'était pas mon nom, qui était inscrit là, mais celui d'Antonine !

Cette révélation me glaça encore plus le sang.

Si le nom d'Antonine se trouvait sur le par-chemin et pas le mien, c'est qu'il y avait une différence entre nous deux, et cette différence n'était pas bien difficile à saisir : Antonine avait sauté le pas, elle était entrée dans leur jeu, elle faisait partie de leur société !

24

Des pièces pour une nouvelle vie

Qu'Antonine ait son nom sur la liste de la Société était encore plus affreux que je ne pensais, parce qu'elle refuserait de s'enfuir... Et moi, je ne pouvais pas partir sans elle !

Antonine n'avait que neuf ans, et quelle que fût la sottise qu'elle avait commise, elle ne pouvait en être tenue responsable. Je devais la sauver malgré elle.

De quelle façon ? ... En lui ouvrant les yeux sur cette société maudite ! Ce serait difficile. Cependant, à plusieurs reprises, je l'avais sentie ébranlée par ce que je lui disais.

Je me saisis du volume marqué B et P et m'enfuis en courant. Je ne savais pas lire, mais Antonine, elle, savait.

Dans la galerie, je croisai Ernoul. Heureusement, il paraissait si préoccupé qu'il ne nous aperçut même pas, moi et mon butin.

Je me précipitai dans ma chambre et glissai le volume sous mon matelas.

✧ ✧
✧

Pendant mon absence, on avait apporté un plateau, avec un poulet entier, divinement rôti. Il y avait aussi une sorte de fromage dont j'ignorais le nom et qui me fit une impression... que je ne sus comment définir. Je tendis le doigt vers ce petit cylindre d'un blanc un peu gris. Il était dur. Détachant un morceau, je le portai à ma bouche avec une curiosité inquiète.

Son goût me stupéfia. Pas qu'il fût extraordinaire, mais il déclencha dans ma tête les fameux coups de marteau de mes rêves. C'était très bizarre. Je me demandai avec anxiété si les vieux n'étaient pas en train de m'ensorceler. Comment un morceau de petit fromage dur pouvait-il me cogner aux oreilles ?

Je ne pus pourtant m'empêcher de tout finir, sans arriver à déterminer pourquoi cela me faisait pareil effet. Je laissai tomber le problème au moment où mon regard fut attiré par autre chose de nouveau dans la pièce : un coffre. Un coffre de bois travaillé, très beau. Rien à voir avec les malles vermoulues dans lesquelles on gardait les vêtements, à l'orphelinat.

Je m'avançai avec méfiance. Qu'y avait-il là-dedans ?

Des serpents ?

... Allons ! Tout ce qu'on m'avait offert ici s'était montré jusqu'à présent sans danger, du moins sans danger immédiat et apparent. Ma curiosité naturelle ne pouvait de toute façon pas résister. Je soulevai lentement le couvercle.

Des vêtements, c'est ce que contenait le coffre. Des vêtements identiques à ceux que portaient les vieux quand ils étaient à l'intérieur : de longues tuniques de drap fin et des manteaux de satin ou de velours.

Au poids du chiffon, il y en avait bien pour... Mais la question n'était pas là. Ces habits étaient-ils pour moi ?

Je ne les mettrai pas. Pour qui me prenaient-ils ? Ils ne m'auraient pas ainsi ! Déjà, ils « possédaient » ma petite sœur... Je me rappelai qu'à elle aussi, ils avaient offert une robe, et maintenant...

Cela me donna à réfléchir : si Antonine se trouvait sous leur domination, il était peut-être très imprudent de lui mettre sous les yeux le volume que j'avais dérobé. Elle, si fragile, pouvait y apprendre des choses, trop de choses, qui la lieraient plus encore à cette horde maléfique.

Moi. Il fallait, moi, que j'apprenne à lire. J'étais fort, aussi fort qu'elle.

En attendant, je ne lui dirais rien. Elle n'était pas en mesure de m'écouter. Il fallait que j'attende le bon moment, que j'obtienne des éléments sûrs et qu'elle ne pourrait pas contester. Et si rien de cela ne marchait, alors... je l'assommerais, je la mettrais sur mes épaules et je m'enfuirais. Mais m'enfuir, je devais encore en trouver le moyen.

C'est là, alors que j'étais sûr que ma petite sœur était sous contrôle, que se produisit une chose étonnante. Ma porte s'entrouvrit, Antonine passa la tête et souffla :

– Seigneur Yvan.

25

Seigneur Yvan et dame Ysabeau

« Seigneur Yvan »... C'était si surprenant, si inespéré, que je restai d'abord sans voix. Enfin, je réussis à articuler la phrase rituelle :

– Dame Ysabeau, que me voulez-vous ?

– Seigneur Yvan, reprit Antonine en entrant, un homme est là, au pont-levis, et il dit qu'il sait un secret.

Je relevai qu'elle s'était trompée de mot, et qu'elle avait dit « sait » au lieu de « connaît », mais je ne fis pas de remarque tellement j'étais soulagé que ma petite sœur ait envie de reprendre le jeu comme autrefois. Ce jeu, je l'avais inventé à son intention, et on y jouait sous les fenêtres de l'orphelinat pour se reconstituer une famille.

– Quel secret ? demandai-je.

– Je crois qu'il s'agit de nos enfants, nos enfants chéris que nous avons perdus voilà sept années déjà.

– Mon Dieu ! m'exclamai-je, cet homme sait-il vraiment quelque chose ? Faites-le entrer de toute urgence.

À ce moment du dialogue, Antonine changeait de rôle, et prenait celui de l'homme qui arrivait :

– Seigneur Yvan, je suis aujourd'hui soldat du roi, mais il y a sept ans, j'étais colporteur et allais par les chemins. Sur ces chemins, un jour, j'ai aperçu un groupe armé qui escortait deux jeunes enfants. J'ai suivi des yeux leur petite troupe et j'ai vu alors arriver sur eux un nuage de guêpes qui s'attaquèrent aux chevaux. Affolées, les bêtes se mirent à galoper, si vite et si loin que personne ne put les arrêter, et elles se jetèrent avec leurs cavaliers dans un ravin. Ne sachant que faire, j'ai pris les deux enfants. Comme ils ne parlaient pas, je n'ai pas su qui ils étaient, et je les ai menés à la ville, pour qu'ils soient confiés à l'orphelinat.

Je me redressai de toute ma hauteur, et m'écriai :

– Mensonge !

– Pourquoi m'accusez-vous de mentir, seigneur Yvan, puisque je viens vous raconter cela de mon propre gré ?

– Mes enfants savaient parfaitement parler, ils connaissaient leur nom. Pourquoi n'auraient-ils rien dit ?

– Sans doute à cause du choc...

– Et pourquoi les chevaux qui menaient leur voiture ne se seraient-ils pas aussi emballés ?

– Parce que, par hasard, ils n'ont pas été piqués, je suppose.

– Et comment les soldats seraient-ils tombés dans un ravin, alors qu'ils accompagnaient mes enfants en vacances chez leurs grands-parents, et qu'il n'y a aucun ravin sur le chemin ? Je vais vous faire jeter en prison, vous faire torturer et là, vous serez bien obligé de m'avouer la vérité.

– Pitié ! s'écria l'homme en tombant à mes genoux. Je voulais soulager mon âme et que vous sachiez où sont vos enfants... Mais je vais raconter l'exacte vérité, à condition que vous ne me mettiez pas en prison et me laissiez repartir.

Antonine reprit un instant la voix de dame Ysabeau, pour demander :

– Je vous en supplie, seigneur Yvan, jurez-lui. Peu importe s'il a commis une faute autrefois, le plus important est que nous retrouvions nos enfants.

– Ça va, grognai-je, je promets.

– C'est qu'autrefois, reprit l'homme à voix basse, j'étais un peu pauvre et un peu bandit. Quand j'ai vu ces deux enfants riches, je me suis dit que je pouvais les enlever et obtenir une rançon. J'ai attendu que les soldats s'endorment, et je suis allé chercher vos enfants. Seulement la fille était trop petite et le garçon trop malin pour me dire qui ils étaient, pour que je ne puisse pas obtenir de rançon, et il a fait semblant d'être muet.

– Comment savez-vous, alors, qu'il s'agit bien de mes enfants ?

– Pardonnez-moi, seigneur mais, repassant par ce pays, je viens d'apprendre que vous et votre dame étiez inconsolables d'avoir perdu des enfants voilà sept ans, un garçon de cinq ans, et une fille de deux.

– Et que seraient devenus les gardes ?

– Les gardes... Ils se sont évanouis dans la nature, pour ne pas avoir à souffrir de votre colère.

Je fis semblant de réfléchir et de penser que ce qu'on me racontait était possible, avant de demander d'un ton furieux :

– Qu'avez-vous fait de mes enfants, maudit voleur ?

– J'ai eu peur, monseigneur, et je les ai abandonnés dans une rue d'une ville lointaine.

– Mon Dieu ! Il faut y aller tout de suite ! Menez-nous immédiatement à cette ville !

Antonine et moi, on se tut et on écouta. Mais on ne pouvait même pas se donner l'illusion d'entendre les pas de nos parents qui venaient nous chercher : ils ne pourraient pas nous retrouver ici !

Ça m'acheva le moral.

Antonine, elle, reprit son visage d'Antonine et souffla d'un ton rieur :

– Il faut que j'aille remettre du crachat de lune dans ma préparation.

Je demeurai interdit :

– Le crachat de lune est ingrédient de sorcier !

Cela ne sembla pas l'impressionner.

– Le crachat de lune est une variété d'algue, c'est ce qui est écrit dans les livres.

Je ne trouvai rien à répliquer et je rageai de n'avoir aucun argument pour m'opposer. Elle semblait toujours en savoir plus que moi.

Comme elle tournait les talons, je l'interpellai :

– Dame Ysabeau ! Êtes-vous bien sûre que nos enfants, que nous venons juste de retrouver, n'ont pas maintenant été enlevés par des sorciers ?

– Pas par des sorciers, seigneur Yvan. Et pas enlevés. Je les ai confiés pour leur éducation à des grands alchimistes.

– Sans savoir qui ils sont ? On ne peut confier ses enfants à des maîtres sans s'être renseigné sur eux ! Que vous ont-ils dit sur eux-mêmes ?

– Ils ne parlent jamais d'eux-mêmes, parce qu'ils ne s'intéressent pas au banal.

– Trop facile ! Savent-ils seulement élever des enfants ?

– Ils n'en ont sans doute jamais eu, car ils parlent aux enfants comme s'ils étaient des adultes, mais cela instruira mieux nos petits.

– Comment se nomment-ils, vos alchimistes ?

– ... C'est qu'ils ne s'appellent que par leurs prénoms, seigneur Yvan...

– Pour qu'on ne les reconnaisse pas ?

– Non, parce qu'ils vivent ensemble depuis très longtemps. Peut-être qu'ils ne savent plus leur nom, ou que simplement ça n'a pas d'importance.

– Voilà : vous ne connaissez rien de ces gens, ni leur vie ni leur nom, ils ignorent comment élever des enfants... et vous leur confiez l'éducation de nos chers petits ? Trouvez-vous cela raisonnable, dame Ysabeau ?

– Raisonnable, peut-être pas, mais passionnant, sûrement.

J'en fus effondré. Antonine savait que notre présence ici n'était pas normale et elle ne voulait rien faire contre. C'était finalement pire que je ne craignais. Que faire ?

26

Mauvaise manœuvre

Cette histoire du seigneur Yvan et de dame Ysabeau montrait qu'Antonine restait tout de même attachée à notre passé, et cela me donna de l'espoir. Je pouvais encore la ramener à moi ! Des arguments, j'en trouverais. J'apprendrais à lire, je percerais à jour le secret de nos ravisseurs et j'utiliserais leur science pour les combattre.

Mais je devais faire vite, parce que je n'étais qu'en sursis. Qu'un vieux agonise, et c'en était fini de ma vie.

Si je pouvais au moins découvrir ce qu'ils cherchaient, dans leur antre maudit ! Les paroles d'Antonine me revinrent. *Des choses plus importantes que l'or...*

Quelles choses ?

La clé du mystère, j'en étais soudain sûr, était dans l'œuf de pierre.

Je regardai autour de moi. Quelle bêtise d'avoir pris le livre marqué B et P ! Les vieux s'en apercevraient forcément. Et comment réagiraient-ils ?

Et puis, il ne me servait à rien tant que je ne savais pas lire. Il fallait le remettre à sa place en vitesse.

Je le retirai de sa cachette et le serrai un moment contre moi. Le rapporter, oui... mais l'opération était des plus risquées. Comment faire ça discrètement ?

À mon grand dépit, je dus me résoudre à ce que je m'étais juré d'éviter : je sortis de la malle une grande cape de velours (six francs au moins au prix du chiffon) et la jetai sur mes épaules pour dissimuler l'encombrant volume.

✧   ✧
✧

J'avançai silencieusement le long de la galerie sans rencontrer âme qui vive. Ce n'était pas étonnant : ces vieux, on aurait dit qu'ils vivaient à peine. Et ils ne s'intéressaient pas à moi. Ils m'avaient capturé parce qu'ils le

« devaient », mais je leur étais indifférent. Balayé. C'était comme si je n'existais pas. Seule existait leur « Œuvre », à laquelle ils travaillaient sans répit, si bien que, la plupart du temps, le bâtiment semblait désert.

Je montai avec précaution les trois marches de l'antre des bouillonnements et m'arrêtai net. Le chef, Barthélemy, était en train de consulter un volume. Invraisemblable manque de chance ! J'y vis un mauvais signe du destin.

Au frôlement de ma chaussure sur la dernière marche, il tourna la tête et me détailla de la tête aux pieds. Je serrai si fort le livre sous mon bras que j'en eus mal dans l'épaule.

– As-tu décidé de travailler avec nous ? demanda-t-il enfin d'un ton qui ne semblait même pas espérer de réponse.

Il n'avait visiblement pas encore découvert l'absence du volume. Je bégayai :

– Euh... je...

Barthélemy eut un mouvement agacé.

– Cesse de nous considérer comme des ennemis, nous pouvons faire pour toi de grandes choses !

Avec le livre qui me brûlait le bras, je faillis bien céder à tout ce qu'il voulait, mais cela lui aurait sûrement paru louche. Je demandai :

— Pourquoi feriez-vous quelque chose pour moi ? Je ne suis rien. Vous ne savez rien de moi.

J'entendis la voix de Magloire, venant de la pièce d'à côté, et qui disait :

— Tu es notre survie.

Barthélemy se retourna d'un bond et fit un geste de menace vers le vieux que je ne voyais pas, puis, me considérant fixement pour me faire oublier les mots de Magloire, il reprit :

— Qu'est-ce qui te fait croire que nous ne savons rien de toi ? (Il lança vers l'autre pièce.) Magloire ! Amène-moi Antonine.

La frayeur m'assaillit. Est-ce que, par mes paroles désagréables, je n'avais pas nui à ma petite sœur ?

— Prenez-vous-en à moi, protestai-je avec violence, mais laissez Antonine tranquille !

Barthélemy m'observa par-dessus ses petites lunettes rondes et laissa tomber :

– Nous ne voulons aucun mal à ta petite sœur, elle est plus maligne que toi.

– Plus malléable, voulez-vous dire ! Vous l'avez ensorcelée !

Sitôt ces mots sortis de ma bouche, je me rendis compte que j'étais en train de jouer la mauvaise carte. Ce n'était pas du tout ce que j'avais résolu l'instant d'avant !

27

Terrible nouvelle

Antonine s'encadra dans la porte.

– Antonin ! s'exclama-t-elle d'un air heureux et soulagé. Tu as mis la cape !

Heureuse et soulagée... Ils la tenaient bien entre leurs mains !

De joie, elle se jeta dans mes bras, et se raidit brusquement : elle avait senti le livre contre ma poitrine.

– Asseyez-vous, dit Barthélemy.

Et, nous tournant le dos, il rangea sur l'étagère le volume qu'il avait sorti.

Dans cette fraction de seconde, Antonine ouvrit ma cape, m'arracha le livre des mains, le posa sur le banc et s'assit dessus en le couvrant soigneusement de sa robe.

Je ne sus qu'en penser, pourtant cela eut pour effet de me rassurer sur sa situation vis-à-vis des sorciers. Elle n'était pas atteinte au point de prendre leur parti contre moi.

Quand Barthélemy se retourna, mes mains en tremblaient encore de surprise. Il sembla ne rien remarquer.

– Toi, Antonin, dit-il enfin, tu es né voilà douze ans dans un village troglodyte de la vallée du Loir.

J'ignorais ce que signifiait « troglodyte », mais j'étais trop surpris pour poser la question, d'autant que Barthélemy continuait :

– Ton véritable nom est Pierre Liguet. Toi, Antonine, tu t'appelles en réalité Marion Liguet. Deux jours après ta naissance, ta mère, votre mère à tous deux, Jeanne Liguet, est morte de la fièvre des accouchées.

La stupéfaction me tomba dessus. Comment savait-il cela ? Dans notre dossier, à l'orphelinat, il n'y avait que la date où on nous avait découverts, errant dans la rue, et le fait que nous ne parlions ni l'un ni l'autre. Cet homme racontait n'importe quoi pour nous impressionner. La preuve : les noms de Pierre et de Marion ne m'évoquaient rien. Je ne les avais jamais entendus, et pourtant, quand on m'avait trouvé, j'avais déjà cinq ans !

– Votre père, continua Barthélemy, était tonnelier.

Là, je cessai de respirer. Je voyais des tonneaux, des cerclages de fer... Oui, j'entendais les coups de marteau..., je sentais l'odeur chaude du bois...

– Vous viviez dans une maison creusée dans la falaise, et votre lit était un matelas disposé dans un trou de mur. Votre nourriture consistait le plus souvent en du fromage de chèvre, puisque votre père possédait un troupeau. Cela ne vous rappelle-t-il rien ?

Je ne répondis pas. Un creux de mur... le fromage de chèvre... j'étais abasourdi.

– Ce n'est pas vrai, m'emportai-je enfin. Personne ne m'a jamais appelé Pierre ! Et Marion, ce n'est pas son nom.

– Personne ne t'a appelé Pierre, parce que vous viviez isolés et que vos parents avaient une caractéristique... Ils étaient muets. L'un et l'autre. Ils n'ont jamais prononcé votre nom, mais celui-ci est malgré tout inscrit sur le registre de la paroisse.

Nos parents... muets ?

Je voulais à tout prix refuser qu'il connaisse réellement notre vie, cependant ce qu'il nous disait expliquait bien des choses... Les pensées tournaient dans ma tête à toute vitesse, sans que je puisse les ordonner.

— Alors, demanda Antonine avec tristesse, notre père est mort aussi...

Barthélemy eut une sorte de tic qui lui tira la bouche de côté, puis il se décida :

— Il est toujours vivant.

— Et il nous a abandonnés ? m'écriai-je.

— Non... non. À la suite d'une erreur, votre père a été emprisonné. Il venait d'arriver en ville avec vous, et vous avait laissés un moment seuls pour régler une affaire. C'est là qu'on l'a pris pour un bandit qu'on recherchait et qu'on l'a arrêté. Comme il ne parlait pas, on a cru qu'il jouait la comédie et on l'a emprisonné.

— Il est toujours en prison ? soufflai-je, sidéré.

– Il n'y est plus. On l'a relâché.

– Et il nous cherche ?

– Non, bien sûr. Tout cela est de l'histoire ancienne pour lui.

Je jetai sur Antonine un regard de stupeur. Ses yeux se brouillaient.

– Où est-il ? m'énervai-je.

– Nous n'en savons rien, mais cela n'a pas d'importance. Il est perdu pour vous. Il a une autre famille, d'autres enfants. N'y pensez plus.

Et sur ces mots, il quitta la pièce d'un pas majestueux.

Ce coup en traître fut une blessure si terrible qu'elle me laissa un moment sans réaction. Que mon père ne fût pas un seigneur dans un lointain château ne me décevait pas – je n'y avais jamais cru vraiment –, mais qu'il fût sans cœur, qu'il nous ait...

Je serrai les poings à m'en faire blanchir les articulations, puis m'appliquai à contrer cette affreuse nouvelle :

– Ne t'en fais pas, Antonine. On n'a pas besoin de lui. On s'en moque !

Elle essuya vite une larme pour que je ne la voie pas et me sourit. Mais dans son sourire, il y avait tant de désespoir que j'en eus le cœur brisé.

– On s'en moque, acquiesça-t-elle en hochant la tête.

28

Une page arrachée

Barthélemy sorti, nous restâmes prostrés sur notre banc, sans dire un mot. Nous nous persuadions à grands renforts de mâchoires serrées que nous n'avions pas besoin de père et que nous nous moquions éperdument de ce qui avait bien pu lui arriver.

Enfin, Antonine se leva, jeta un regard prudent alentour, saisit le livre sur lequel elle était assise et quitta la pièce d'un pas pressé.

Je la suivis jusqu'à ma chambre.

Elle s'assit sur mon lit et m'informa de ce qui était écrit :

– Ça commence par : *Barthélemy, 13 janvier 1330...* Ensuite, on dirait que c'est un journal.

Il y a des choses écrites tous les jours, à partir du... 15 janvier 1348.

– 1848, tu veux dire !

Antonine relut attentivement :

– Non... 1348... C'est ce qui est écrit... Et là, 1352.

Antonine concentra son attention, puis soupira :

– Ce n'est pas du français... Ah, là, il y a des mots que je comprends... ils ont l'air d'être français, mais quelle drôle d'écriture ! Il faut presque deviner. La dernière date, c'est 1418. Et ensuite, les lettres ressemblent plus aux nôtres. Il est écrit : « *Déclaré mort en 1418* ».

– Comment ça « déclaré mort » ?

Ma sœur posa le livre sur ses genoux.

– Antonin, chuchota-t-elle, ça fait longtemps que j'ai cette impression... Ces gens-là sont vraiment très vieux.

– Tu veux dire, fis-je, un peu sidéré, que le Barthélemy du livre n'est pas vraiment mort en 1418 et qu'il s'agit de ce Barthélemy-ci ?

— Je crois.

— Mais alors, il aurait dans les... six cents ans ! C'est dément !

J'étais presque en colère d'être en train de croire une chose pareille. J'ajoutai pourtant :

— ... Et Pernelle ?

— *Née en 1335.*

— 1335 ! Bon sang ! Ça veut dire qu'ils ne cherchent pas le moyen de conserver la vie éternelle, ils l'ont déjà !

Ils avaient la vie éternelle. Ah ! je rageais de ne pas savoir lire ! Antonine se replongea dans les vieilles pages. Je bouillais.

— Qu'est-ce que ça dit d'autre ?

— Attends, je peux juste lire les phrases en français. Et encore, c'est un français bizarre... Je vois *élixir au blanc*, et puis qu'il faut mourir et renaître, quelque chose comme ça.

Mourir et renaître. Ernoul !

Le premier jour, Ernoul s'était fait renverser par une voiture, il était mort... et puis il n'était plus mort, et personne ne se souvenait de l'accident, sauf une fille. Nous n'avions pas rêvé, ni elle ni moi. Il était bien mort, et ensuite il avait reparu et m'avait repris le tissu... Un linge taché de sang ! Mourir et renaître !

– Il n'y a rien d'autre ? Il n'est pas question de porcelet égorgé ?

– Bien sûr que non ! Tu es fou !

– Regarde.

– Je regarde. Il est question de l'élixir au blanc, qui procure une longue vie. Il faut le boire. Plus loin, il est dit qu'après le temps, il faut mourir et renaître.

– Quel temps ? Renaître comment ?

– Je n'en sais rien. Grâce à l'élixir, sans doute.

Le soulagement me gagna. C'est là qu'Antonine reprit d'une voix rêveuse :

– Le plus étrange est que le texte ne finit pas par un point, mais par une sorte de virgule, ou de point-virgule.

– Et alors ? m'informai-je sans saisir l'importance du point ou de la virgule.

Ma sœur ne répondit pas. Elle passa son doigt sur les feuilles, puis souffla :

– Antonin... Le texte n'est pas entier, une page a été arrachée...

29

En bouche close n'entre mouche

Dans la nuit, j'entendis de nouveau le martèlement. Je n'aurais su dire s'il n'était que dans mes rêves, mais je me réveillai en sueur. Assis sur mon lit, je tentai de me calmer. Jusqu'à ce jour, les coups de marteau dans mon sommeil m'avaient toujours rassuré. Et voilà que...

Bon sang ! Avais-je vraiment rêvé ?

J'écoutai... Le silence. Un silence de tombeau. Le petit chuintement subit de ma chandelle me rasséréna : j'étais toujours en vie. Pourquoi est-ce que les coups de marteau, pour la première fois de mon existence, m'avaient angoissé ?

À cause de ce maudit Barthélemy et de ses révélations ! Je l'ignorais jusqu'à ce jour, mais les coups sur le bois des tonneaux étaient le souvenir que je gardais de mon père, le seul souvenir. Et voilà que Barthélemy avait tout gâché et que ce bruit familier m'était devenu ennemi.

On nous avait abandonnés...

Non ! Pour la dixième fois, je tentai de me persuader que, si mon père ne nous cherchait pas, c'est qu'il nous croyait morts. Puis le découragement me gagna. Il fallait être réaliste : il ne nous cherchait pas, parce que, aujourd'hui, il avait une autre famille. Que ferait-il de nous ? Pourtant, j'aurais tant voulu l'apercevoir, lui parler... Il ne pouvait avoir tout oublié !

Une pensée nouvelle me vint. Il faut du temps pour se faire une autre famille ! Cela supposait donc que notre père avait été relâché depuis de longues années...

Et il ne s'était pas du tout inquiété de nous ? Il n'avait pas visité les orphelinats pour nous retrouver ?

Nous étions donc si peu intéressants, Antonine et moi ?

Je me sentais comme un poids sur l'estomac. S'il n'avait pas fait un geste, cela signifiait peut-être quelque chose de pire : il était heureux d'être débarrassé de nous.

Je le dénicherai ! Rien que pour lui cracher à la figure !

Pfff... De toute façon, personne ne savait où il se trouvait. Cette sinistre évidence m'arrêta un instant. Puis je réfléchis. Barthélemy savait beaucoup de nous, même de mon ancien lit et de ma nourriture... et il ignorait où se trouvait mon père ?

Ma chandelle s'éteignit toute seule et je ne fis pas un geste pour la rallumer. Paix ! disait-elle. Rien de tout ça n'a d'importance. Essaie de survivre, c'est ce qui compte.

✧   ✧
✧

Au petit matin, Antonine pénétra dans ma chambre, un doigt sur la bouche.

– J'ai remis le livre en place. (Elle reprit un ton normal.) Pernelle veut nous voir tous les deux ce matin.

– Pourquoi ?

– Je ne sais pas.

– Fais attention, Antonine ! Tu ignores ce que ces gens nous veulent. Magloire m'a clairement avoué qu'il prendrait ma vie s'il en avait besoin.

– Magloire est un blagueur, il aime faire peur.

– Oui, eh bien ça, je ne le crois pas, tu vois ! Hier, il m'a dit : « Tu es notre survie »... Et Barthélemy l'a violemment menacé.

Antonine parut songeuse.

– « Tu es notre survie » ne veut peut-être pas dire qu'il va prendre ta vie, murmura-t-elle d'un ton hésitant. Cela veut peut-être dire que nous allons les aider à découvrir quelque chose qu'ils cherchent, ou que notre présence ici va leur permettre de vivre mieux...

Je ricanai :

– Ma pauvre Antonine, tu es trop confiante ! Ils se moquent pas mal de nous. Ils attendent juste l'heure de...

Une voix nous fit sursauter. Pernelle était à la porte.

– Baisse ta garde, Antonin, dit-elle. Nous voulons seulement vous initier, partager avec vous notre connaissance.

Elle mentait et je le savais : ils n'avaient nul besoin de successeurs, puisqu'ils se succédaient à eux-mêmes, et s'ils m'avaient enlevé, c'est bien parce que, le premier jour, j'avais vu Ernoul.

J'avais vu Ernoul mourir et renaître. Et j'avais vu la porte.

J'observai le visage de Pernelle. Plus de cinq cents ans ? C'était fou. J'avais déjà rencontré un jour un homme de cent ans, tout cassé, tout fané... Cinq cents ans...

– Nous initier à quoi ? demandai-je d'un ton rogue.

Pernelle frotta ses mains noueuses.

– À la continuation du Grand Œuvre, dit-elle enfin avec peine.

Elle posa la main sur le mur et s'y appuya un court instant. Puis elle prit un visage enjoué. Cependant elle était toute pâle. J'eus la sensation que le mensonge la rongeait, ce qui ne me rassura pas.

Comment savoir ce qu'ils nous voulaient réellement ? Qu'était le Grand Œuvre ? D'après Antonine, son but était la fabrication de l'or...

De l'or véritable ? Pas d'une imitation par sorcellerie, un cadeau du diable qui se transforme en poussière dès qu'on y touche ?

Réfléchis, Antonin. De toute façon, tu ne peux pas sortir. Ta seule chance de sauver ta vie est de comprendre. Essaie de te montrer conciliant.

Je me répétai cela avec d'autant de force que ce n'était pas la seule raison de ma résolution : l'or, ce mot magique, commençait à courir dans mon sang, faisant taire en moi la peur de participer sans le vouloir à des manipulations de sorcellerie. Je tentai d'oublier aussi que cette histoire d'or pouvait n'être qu'un mensonge destiné à nous retenir prisonniers.

Suffisait-il de demander pour devenir riche ? Je soufflai :

— Je ne sais pas lire...

— Nous allons commencer par cela, répliqua Pernelle en étouffant un soupir. Pendant ce temps, Antonine pourra apprendre le latin, indispensable pour accéder aux anciennes connaissances.

Ce que pouvaient être ces « anciennes connaissances », je n'en avais pas plus idée que du reste. J'avais l'impression de glisser ma tête sur la planche de l'échafaud sans avoir vérifié que la lame en était absente.

Pernelle me considéra d'un œil attentif.

– Patience et persévérance, prononça-t-elle au bout d'un moment, silence et discrétion. Rappelle-toi, Antonin, en bouche close n'entre mouche.

Je fis un signe d'assentiment. « En bouche close n'entre mouche »... Mais à qui pourrais-je raconter ces grands secrets qu'on voulait m'apprendre ?

Une bouffée d'espoir me vint : cela voulait-il dire qu'on nous relâcherait un jour ?

✧   ✧
✧

– Oui, monsieur le commissaire.

– Et vous me dérangez pour ça ?

– C'est par prudence, monsieur le commissaire, répondit le sergent, un peu honteux. Il se cache peut-être quelque chose de louche là-dessous.

– C'est bon, je m'en occupe.

Le commissaire fit glisser le bout de ses doigts le long de la feuille de papier posée sur son bureau. Contrairement à ce qu'il aurait dû, il n'y avait rien écrit du rapport qui venait de lui être fait. Quoi qu'il ait pu dire à ses sergents, des sorciers et un enlèvement ne lui paraissaient pas si loufoques. Bien sûr, il aurait eu honte de l'avouer, mais dans son village, là-bas, en Massif Central, on ne riait pas des sorciers. On les connaissait même par leur nom, et on les craignait.

Ce qui lui donnait le plus à penser, c'était qu'il n'avait toujours connu que des sorciers solitaires. Là, une maison sans porte ni fenêtre abritant plusieurs de ces êtres maléfiques...

Finalement, qu'est-ce que ça lui coûtait, d'aller voir cette maison ? Ce n'était que son plus strict devoir.

Le commissaire mit son chapeau et ses gants, et sortit.

Il avait plu, si bien que le commissaire Lecœur dut attacher toute son attention à éviter les flaques d'eau qui auraient pu faire des dégâts irréparables à ses fines chaussures de cuir. Peut-être est-ce pour cette raison qu'il arriva face à la grosse maison sans même s'en être aperçu et qu'il en fut frappé d'une si fâcheuse impression.

Se reprenant, il s'appliqua à tout bien observer puis, comme l'avaient fait ses hommes, il entreprit d'arpenter les rues qui encadraient le bâtiment rouge. Il tourna plusieurs fois autour du pâté de maisons, puis il rentra au commissariat, l'air songeur.

30

La pierre philosophale

Apprendre à lire n'était pas si facile que je le croyais, mais je m'y attelai avec rage. Tous les secrets enfouis dans les livres, c'est à ce prix que je les découvrirais. J'avais l'impression que, si les paroles pouvaient mentir, les écrits ne disaient que la vérité. Et je finirais par savoir qui étaient vraiment Barthélemy et Pernelle et ce qu'ils nous voulaient.

Du bien ou du mal ?

Je penchais tantôt pour l'un, tantôt pour l'autre. J'avoue que le vague espoir de me procurer de l'or et de devenir immensément riche me brouillait un peu l'esprit.

Alors... je retrouverais mon père. J'arrête-rais ma calèche tirée par deux pur-sangs noirs devant sa porte et je le toiserais par ma portière, sans même descendre. Et je dirais :

– Vous vous rappelez que vous aviez un fils et une fille ? Hé bien vous n'avez pas idée de ce que vous avez perdu en les abandonnant.

Ou plutôt non, je ne dirais rien. Je le fixerais avec sévérité et mépris, et je lancerais au cocher : « Allez... »

Mon père regarderait partir avec la rage au cœur mon superbe attelage vers mon confortable château.

✧   ✧
✧

Si je n'avais pas la possibilité de sortir de la prison, j'étais libre de m'y promener où je voulais. C'est ainsi que j'avais découvert dans les caves des montagnes de nourriture conservée dans une poudre grise qui la protégeait du pourrissement.

Jamais de ma vie, je n'avais mangé aussi abondamment, ni d'aussi bonne cuisine, et je pouvais me servir en fruits aussi rares que les oranges sans que personne ne m'en fasse reproche. Je crois même que les vieux s'en moquaient complètement.

Eux ne mangeaient presque pas, ne dormaient guère non plus. Ils ne vivaient que pour leur « Œuvre ». Une vie consacrée à travailler, quel ennui !

Ils passaient leur temps dans leur laboratoire, à essayer de nouvelles formules ou je ne sais quoi. La dernière fois que j'y avais séjourné, le débat portait sur la composition d'un mélange de mercure et de soufre qui paraissait ne pas fonctionner (pour faire quoi ?), et ils se proposaient d'en changer le sel (quel sel ?).

Des formules, des manipulations, des recherches... pendant des siècles ! Moi qui n'avais jamais aimé l'étude, cela me paraissait désolant, pitoyable, incompréhensible.

Et pourtant...

Pourtant j'avoue que ma curiosité s'éveilla, puis qu'elle l'emporta, puisque je passais de plus en plus de temps au laboratoire, à les regarder opérer et à écouter leur conversation. Bêtement, voilà que je m'intéressais.

Parfois même (un comble !), j'en oubliais de manger... Enfin, je crois : il me semblait rester de longues périodes sans rien avaler, mais il faut rappeler que je n'avais guère de notion du temps qui passait. L'heure de l'horloge avait-elle une réalité ? Indiquait-elle un moment du jour ou de la nuit ?

Je mangeais quand je m'apercevais que j'avais faim, je dormais quand mes yeux se fermaient tout seuls. Le reste du temps, j'étais dans l'attente... l'attente d'apprendre quelque chose. Mais à mon grand désespoir, les vieux ne parlaient jamais de l'or ni de la façon de le fabriquer, et personne ne prêtait attention à moi, sauf Pernelle, qui m'apprenait à lire.

N'y tenant plus, j'abordai un jour Ernoul tandis qu'il remuait un mélange fumant dans un chaudron.

– C'est pour faire de l'or ?

Il eut un petit rire.

– Non, dit-il, notre réserve est importante, nous n'en fabriquons plus.

Ma déception fut immense :

– Je croyais que vous vouliez m'apprendre à en faire ?

Ernoul m'observa de ses petits yeux luisants :

– Cela t'intéresse ?

– ... Oui...

– Pourquoi ?

Suffoqué par la question qui me paraissait n'avoir qu'une seule réponse possible, je prononçai avec méfiance :

– Parce que... l'or permet tout.

– Tout quoi ?

– ... L'or a beaucoup de valeur. On est riche et on peut acheter tout ce qu'on veut.

Ernoul eut un geste d'impatience.

– Tu ne comprends donc vraiment rien ! Ce qui importe n'est pas sa valeur marchande ! (Il baissa la voix jusqu'à chuchoter.) L'or... l'or est le métal parfait, le métal le plus pur... « Pureté », sot ignorant ! Pas « richesse » !

Il se remit à surveiller son mélange et, calmé, questionna sans me regarder :

– Faire de l'or, c'est tout ce que tu veux apprendre ? Rien de plus important ?

J'eus un geste d'incompréhension, avant d'oser d'un ton prudent :

– Qu'y a-t-il de plus important ?

À mon grand soulagement, Ernoul ne se remit pas en colère. Il me jeta un regard en coin et commença :

– Vois-tu...

Il s'interrompit et demanda :

– Comment obtient-on l'or ? (Il n'attendit pas de réponse.) En expulsant les impuretés du métal... Hé bien on peut aussi expulser les impuretés du corps de l'Homme.

Comme je ne comprenais pas ce qu'il voulait dire, il précisa :

– Pour le guérir de ses maladies.

Je ne m'étais jamais exprimé la chose de cette façon, mais cela me parut soudain clair : ils avaient trouvé. Voilà pourquoi ils vivaient si vieux ! Ça m'émerveilla :

– Vous savez faire de l'or et aussi protéger de la maladie ?

– Oui. Nous y sommes parvenus. Le seul problème est que, si la maladie n'existe plus, le vieillissement, lui, continue de faire son Œuvre, et nous sommes obligés de...

Il s'arrêta net, parut s'étouffer et changea de sujet :

– Il nous faut trouver le mélange sur lequel porte l'action de la Pierre Philosophale.

Et sans expliquer pourquoi il fallait trouver le mélange, quel serait le rôle de ce mélange, il s'enquit :

– Quelqu'un t'a-t-il montré la Pierre Philosophale ?

Je fis un signe négatif.

– Je crois que la nouvelle est prête.

Sur ces mots, il se dirigea vers l'athanor de la deuxième pièce, saisit un chiffon et entreprit d'extraire de son logement, avec mille précautions... un œuf de cristal. Celui dont m'avait parlé Antonine.

Il le posa sur une table et le cassa en deux d'un coup de marteau à sucre.

Apparut alors une sorte de gros diamant à plusieurs facettes, qui semblait entièrement blanc. Mais quand on s'approchait, on s'apercevait qu'il portait en lui toutes les couleurs de l'arc-en-ciel et qu'il en changeait selon l'angle sous lequel on le regardait. Pour moi, il devint d'un rouge de feu.

– Voilà, annonça Ernoul. La Pierre Philosophale. Tant de misérables alchimistes ont peiné toutes les nuits de toute leur vie pour l'obtenir. Découvrir les lois du Grand Œuvre, trouver la bonne composition, la bonne durée, la bonne manière...

– Elle n'est pas en or, m'étonnais-je.

– Non, bien sûr. La Pierre philosophale n'est pas d'or, mais elle change tout métal en or. Elle possède le pouvoir. Le pouvoir absolu ! (Il soupira.) Hélas, nous ne savons pas tout d'elle, et sur le vieillissement...

Ernoul retourna à ses travaux, me laissant avec mes questions. Comment se fabriquait cette Pierre Philosophale ? Il fallait que je le sache ! Si je me montrais docile et sans reproche, ils m'en instruiraient sûrement, car cela semblait pour eux être un secret de peu de valeur, puisqu'ils cherchaient maintenant autre chose.

Je me fichais des leçons d'Ernoul sur la « pureté » qui serait le véritable intérêt de l'or. J'exultai : je deviendrais riche ! Riche !

J'oubliai tout, ma vie d'avant, mon père et l'orphelinat...

31

Bouleversement à l'orphelinat

– Monsieur Frogeard !

Assis à son bureau, le directeur de l'orphelinat leva la tête. L'aumônier venait de pénétrer dans la pièce, l'air fatigué et abattu.

– Il n'est nulle part !

– Eh bien tant pis, lança le directeur, je cesse
de m'en préoccuper ! Cet Antonin ne m'a donné
que des tracas, et sa seule activité constructive,
ces derniers mois, a été de fuguer le plus souvent possible de cet établissement, où il était
pourtant fort bien traité !

– Antonin n'est pas un mauvais garçon...,
soupira l'aumônier.

– Que du tracas, je vous dis ! Et puis, il est inutile de nous en faire pour lui, il a certainement fini par retrouver sa sœur et leur père et est parti avec eux.

– Justement, monsieur Frogeard... Personne n'a plus vu ni Antonine ni son père. Et plus j'y pense, plus ce père me paraît étrange. N'est-il pas vraiment vieux, pour avoir des enfants de cet âge ?

– Oh ! La bible nous dit qu'Abraham et Sara ont eu leur fils Isaac à un âge fort avancé !

– C'était il y a si longtemps qu'il faut peut-être nuancer...

– Vous ne croyez pas ce que raconte la Bible ?

– Je n'ai pas dit cela, se reprit l'aumônier, mais si vous aviez pu voir le père, lorsqu'il est venu à l'orphelinat des filles, il vous aurait paru étrange, à vous aussi.

Ils furent interrompus par des coups à la porte.

– Entrez ! cria le directeur.

Un homme grand, barbu, s'encadra dans l'entrée. Il s'approcha du directeur et, sans dire un mot, lui tendit un papier un peu froissé.

Surpris, le directeur jeta un regard sur le papier. Il y était écrit que le porteur de cette attestation avait été libéré de prison la veille et qu'on avait reconnu que les accusations portées contre lui étaient fausses, car on venait d'arrêter le vrai coupable.

– En quoi ceci me concerne-t-il ? demanda le directeur.

L'homme lui tendit alors un deuxième papier, moins froissé, et dont l'encre était à peine sèche. Le directeur lut :

« Je ne peux vous parler car je suis muet. Je souhaite retrouver mes enfants qui m'ont été enlevés voilà sept ans, au moment où j'ai été arrêté par la police. C'était au mois de mai. »

– Combien d'enfants ?

L'homme montra deux doigts, puis il inscrivit au bas du papier : « Un garçon et une fille : Pierre et Marion. »

– Ça ne me dit rien... Attendez...

Le directeur fouilla dans ses fiches et commença à remonter dans le temps.

– Sept ans... (Il déclama.) Un nourrisson sous le porche de l'église Saint-Jean, cinq enfants de la famille Letort, parents décédés, deux enfants dans la rue... Voyons... Un garçon et une fille, qui ne parlaient pas... Mais sapristi ! (Il blêmit.) C'est Antonin et Antonine !

Le directeur et l'aumônier fixèrent l'homme avec stupéfaction. Enfin, l'aumônier souffla d'une voix oppressée :

– Vous êtes... le père d'Antonin et d'Antonine... ?

32

Dans l'œuf de pierre

Je me sentais pris d'une étrange fièvre. J'avais oublié mes peurs. « Alchimistes, pas sorciers », me répétais-je sans savoir ce que signifiait vraiment « alchimiste », et en oubliant sciemment les raisons douteuses pour lesquelles je me trouvais là.

J'avais pénétré plus avant dans l'antre des magiciens, les instruments n'avaient plus de secret pour moi. Je savais chauffer l'athanor pour qu'il atteigne la chaleur exacte « du crottin de cheval », je savais verser de la bonne façon les poudres dans le creuset, surveiller le pélican (qui était une cornue à deux ventres communicants), évaluer la progression des couleurs et des consistances.

Antonine travaillait près de moi à je ne savais quelle opération sur l'œuf de pierre – je ne pouvais distraire une seconde de mon temps pour m'en préoccuper.

Barthélemy était devenu mon maître. Il ne m'appelait pas son élève, mais son disciple, et pour la première fois, il m'avait confié l'accomplissement complet du Grand Œuvre... Sublimation, fixation, calcination, solution, distillation, coagulation, j'apprenais les règles...

Déjà, le Petit Œuvre, par lequel on obtenait la poudre qui transformait les métaux en argent était devenu pour moi d'une grande facilité. Mais le Grand Œuvre...

Une sorte d'exaltation m'habitait : transmuter les métaux, changer un peu de fer ou de plomb, un fond de mercure ou de cuivre, en quelques grammes d'or pur m'enthousiasmait.

Posséder la richesse, au bout de tout cela, ne m'occupait plus guère l'esprit, et je comprenais ce qu'avait voulu me dire Ernoul. Le métal dans toute sa pureté ! Dans toute sa perfection !

Je lisais de mieux en mieux. J'ânonnais certes encore un peu, mais m'attachais à déchiffrer tous les ouvrages écrits en français. J'arrivais même à comprendre ce français si étrange qu'on parlait au quatorzième siècle. Beaucoup d'ouvrages avaient été rédigés à cette époque, celle de la jeunesse de Barthélemy et de Pernelle.

Quant au latin, je devais encore en laisser la traduction à ma petite sœur, mais je comptais bien le décrypter moi aussi au plus tôt. Combien de temps s'était-il écoulé depuis notre arrivée ici ? Nous n'y pensions même plus. Antonine et moi, nous ne parlions plus que de métaux, de chaleur, de mélange, nous étudiions la conjonction de planètes la plus propice à la réalisation de telle ou telle opération, nous étions hors du temps.

Un jour, un jour qui restera longtemps gravé dans ma mémoire, Barthélemy me confia le mélange savant qui allait devenir la Pierre Philosophale, en me demandant de m'en occuper par *voie humide*. Cela signifiait que je devais utiliser la cornue de verre qu'on appelait « œuf philosophique », et non le creuset, où le mélange se transformait plus rapidement (on disait alors *par voie sèche*), mais qui présentait un grave danger d'explosion.

Je savais que le plus redoutable, pour un alchimiste, était l'explosion. Dans les livres que je lisais, il en était sans cesse question.

Je glissai donc l'œuf de verre dans le ventre de l'athanor et me préparai à le surveiller pendant quarante jours, en priant le ciel pour que le mélange devienne d'abord noir, signe que l'opération était en bonne voie. Je m'attachai à clore le tout bien hermétiquement et retournai le sablier qui compterait le temps.

J'étais confiant dans la réussite de ma mission, même si, pour l'instant, personne n'était là pour m'aider. En effet, chaque matin se tenait le Conseil – auquel ni ma sœur ni moi n'étions admis.

J'avais bourré de bois l'athanor, je pouvais distraire un peu mon attention. C'est alors que je commençai à m'intéresser à ce que faisait Antonine. Pour l'heure, elle était en train de contempler sans bouger l'œuf de pierre orné d'un dragon. Je m'inquiétai :

– Tu as un problème ?

Elle eut une petite grimace. Intrigué, j'insistai :

– Tu sais ce qu'il y a, dans l'œuf de pierre ?

– Oui, répondit-elle d'un ton tout étonné que je n'en sois pas informé, il y a l'élixir au blanc.

– Pour la vie éternelle ?

– Non, justement... Pas tout à fait pour la vie éternelle. Seulement pour chasser la maladie.

– Tu en sais la composition ?

– Oui. C'est une forme liquide de la Pierre Philosophale. Ce qu'il nous faut trouver, c'est comment la faire réagir, la bonne composition du mélange sur lequel l'appliquer car, pour l'instant, nous ne pouvons pas prolonger la vie au-delà de cent ans.

Mes vieilles angoisses me reprirent.

– Cent ans ! Mais ils en ont six fois plus !

Ma petite sœur demeura rêveuse.

– Il y a là un secret que je ne connais pas, dit-elle, et que je n'ai trouvé dans aucun livre... Attention, Antonin ! Ton athanor ! S'il chauffe trop, il va exploser !

Je me précipitai pour ouvrir un peu la trappe du bas, et retirai vite une partie des braises pour atténuer la chaleur. Elles roulèrent sur le sol. Je sortis l'œuf tellement vite que je me brûlai. Le contenu était devenu orange, tout était fichu !

J'étais en nage. La sueur ruisselait sur mon front. Je décrochai du mur une jatte de terre cuite, la plongeai dans la fontaine et jetai de l'eau sur le poêle. Il y eut un grand « Pchch... », puis un énorme dégagement de vapeur blanche.

Et c'est là, dans cette vapeur, que je vis rouler sur les dalles un morceau de parchemin qui, sans doute, était auparavant coincé derrière la jatte.

Je le ramassai et le déroulai lentement à plat sur la table. Je reconnaissais cette feuille..., c'était la page qui manquait au volume B et P ! Je m'assis et déchiffrai.

Je demeurai un moment pétrifié. Je me tournai vers Antonine, qui avait lu par-dessus mon épaule, et rencontrai ses yeux apeurés.

La page disait que la vie procurée par l'élixir au blanc n'était pas éternelle et que, tous les cent ans, l'homme qui voulait survivre devait prendre le sang d'un nouveau-né, puis se faire tuer afin de renaître.

D'un *nouveau-né*. « Nourrain » ne signifiait pas « porcelet », mais « nouveau-né » !

Et quand Ernoul était prétendument mort sous les roues de la voiture, il tenait un linge taché de sang. Celui qui m'avait volé dans les pieds...

- 33 -

Le commissaire

Le commissaire Lecœur avait presque oublié cette affaire de la maison rouge, lorsqu'il fut informé qu'une épaisse vapeur blanche s'était échappée du bâtiment qu'on croyait désert.

Cependant, il n'en fut pas témoin car, lorsqu'il arriva sur les lieux, tout était redevenu normal.

Il pensa que des rats avaient pu soulever de la poussière, et que c'était cela qui était sorti, pas de la vapeur.

Il revenait sur ses pas quand, pour la deuxième fois, il se posa la question des entrées de la grosse bâtisse. C'était tout de même étrange – non ? – qu'on n'aperçoive ni porte ni fenêtre.

À la réflexion, c'était encore plus étrange pour les fenêtres, parce que, pour ce qui concernait les portes, on pouvait parfaitement entrer par l'une des maisons qui s'appuyaient dessus... Celle-ci, par exemple, celle de... (Il lut la plaque.) « Maître Lombard ».

Pourquoi ne pas y aller voir, puisqu'il était là ?

Le commissaire agita la cloche.

Maître Lombard fut évidemment surpris de cette visite. Il remarqua :

— C'est curieux, c'est la deuxième fois en peu de temps qu'on me demande des renseignements sur cette maison... Mais pour votre question, la réponse est non : il n'y a aucune communication entre ma maison et cette bâtisse. Peut-être une porte s'ouvre-t-elle dans une autre habitation ? Je ne m'en suis jamais préoccupé. Tous les renseignements que je possède sur cet endroit tiennent en ceci.

Et il tendit à Lecœur le parchemin qu'avait vu Antonin.

Le commissaire l'étudia avec méfiance. Les textes anciens sur ce genre de support avaient toujours produit sur lui un effet détestable.

Dans son village, parchemin était synonyme d'envoûtement. Le sorcier écrivait sur un petit morceau une malédiction et, quelques jours après, les vaches mouraient ou pire encore...

Son oncle – pourtant une force de la nature – s'était donné un simple petit coup de marteau sur un doigt... et il en était mort en deux jours ! Et lui, Lecœur, qui riait jusque-là de ces croyances *idiotes*, avait vu son rire s'enrayer dans sa gorge.

Depuis, tout en affichant le plus grand scepticisme, il ne pouvait s'empêcher d'avoir peur.

– Vous savez, reprit le notaire, cette bâtisse appartient à cette Société de la Pierre de Feu, mais personne n'y vit en permanence, j'en suis persuadé.

Le commissaire ne répondit pas. Le visage concentré, il examinait le sceau. Celui-ci représentait un œuf sur lequel était gravé un dragon se mordant la queue.

– Ce signe ne me plaît pas, décréta-t-il enfin. C'est sûrement une société secrète... Bigre ! Regardez !

Il tendit le sceau vers maître Lombard en y pointant le doigt.

– Voyez... Il y a un trou dans le cœur du dragon. Cela signifie destruction... Une société dont le but serait de détruire le monde...?

– Comme vous y allez ! protesta le notaire un peu sidéré.

– Destruction, articula de nouveau Lecœur.

Et il sortit d'un pas sec, comme s'il avait une mission d'extrême urgence à accomplir.

Le notaire ramassa le parchemin sur la table. Jamais il n'avait remarqué ce trou.

Il considéra attentivement le dragon, et son front se plissa. Son expression changea, il prit un air intrigué.

34

Terrible menace

Pour Antonine et moi, plus rien n'était plus pareil. Savoir de façon certaine que les vieux étaient capables de tuer des innocents pour prolonger leur vie nous rendait malades, et pire, nous angoissait pour notre propre survie. Je n'avais ni rêvé ni mal compris : Magloire n'avait pas voulu plaisanter, je risquais réellement ma peau. Que faire ?

Je n'arrivais plus à dormir. Je guettais sans cesse tous les bruits, tentais de revoir dans ma mémoire ce que chacun avait dit ou fait dans la journée, sans discerner aucun changement dans l'attitude des vieux. J'avais envie de parler à Magloire, avec l'impression que lui me dirait la vérité, mais je ne parvins pas à m'y décider : il me faisait peur.

J'observai Pernelle qui venait de s'asseoir lourdement sur le banc. Sa préparation virait au vert au lieu d'atteindre le jaune orangé qu'on espérait toujours, et elle semblait découragée. Pour la première fois, je comprenais la véritable importance de l'œuf de pierre : il devrait un jour contenir l'élixir suprême, celui qui donnait la vie éternelle sans qu'on ait besoin d'égorger un nouveau-né tous les cent ans. Peut-être ces gens-là n'étaient-ils pas profondément cruels, ils considéraient juste que leur survie primait sur tout.

– Si nous essayions la musique ? proposa Pernelle.

Barthélemy frotta son menton râpeux.

– Pourquoi pas ? La musique est l'harmonie du monde, elle peut avoir sur nos préparations une influence bénéfique. (Puis, se tournant vers ma sœur et moi.) Savez-vous jouer d'un instrument ?

Nous fîmes ensemble un signe négatif.

Ernoul, consulté à son tour, protesta :

– Cela fait si longtemps que je n'ai pas touché à ma viole...

– Autrefois, commenta Gilles, j'avais un luth. Mais je ne sais pas ce qu'il est devenu.

Tōus les autres arboraient un visage dubitatif. Il se passa alors une chose étonnante : Barthélemy chanta une note, d'une voix profonde.

La première surprise passée, les autres lancèrent à leur tour chacun une note différente, et celles-ci se superposaient l'une à l'autre, s'accordaient de façon si parfaite avec la première que la vibration qui emplit l'espace me donna la chair de poule. Si le mystérieux mélange de Pernelle résistait à cela, il serait insensible à tout.

Quand cette note une et multiple à la fois s'arrêta d'un coup, il y eut comme un grand vide ; le temps semblait s'être figé.

– Nous avions oublié, dit alors Barthélemy, que Dieu nous avait doté du meilleur instrument qui soit, et en accord profond avec l'unité du monde.

Il regarda sa femme (je crois qu'elle l'était, bien que personne n'en ait jamais parlé) et cria :

– Pernelle !

Tout le monde se précipita vers la vieille femme qui s'était affaissée sur son banc.

– Pernelle, tu ne te sens pas bien ?

– Très bien, Barthélemy. C'est la musique, qui m'a impressionnée. Il n'y a rien à craindre.

Seulement... elle était toute pâle, et même livide.

– Va te reposer.

– Non, je t'assure, je suis bien ici. Je vais rester assise un moment, et cela va aller mieux. Vous pouvez tenir le Conseil sans moi ce matin.

– Bien..., admit Barthélemy d'un ton hésitant. Antonin gardera l'œil sur toi... N'est-ce pas Antonin ?

J'acquiesçai d'un mouvement de tête et, tandis qu'ils sortaient, retournai à la surveillance de l'athanor. La préparation du Grand Œuvre ne souffrait pas de distraction et, plus que jamais, j'avais dans l'idée qui si je me montrais un disciple attentif, ils me considéreraient comme faisant partie de leur société et ne s'attaqueraient pas à moi.

Pernelle s'installa près de l'athanor dans un fauteuil, et s'endormit.

Je songeai que si je savais préparer l'arsenic dont ils m'avaient parlé, je pourrais tous les empoisonner. Enfin peut-être... Sauf si cet élixir au blanc qui protégeait de la maladie préservait aussi des poisons. Je soupirai.

Comme ils avaient tous disparu et que j'étais seul de garde (le temps d'un tour de sablier), je fus intrigué d'entendre un frôlement dans la première pièce. J'y glissai un regard prudent. Barthélemy était là, fixa le mur derrière la jatte de terre d'un air surpris et inquiet.

La page manquante ! Nous ne l'avions pas remise en place, nous l'avions jetée derrière un coffre lorsque Pernelle était entrée !

Barthélemy ne vint pas me voir, ne me dit pas un mot. Il ressortit aussitôt, ce qui me rassura sur le moment ; sur le moment seulement, car peu à peu, l'anxiété s'insinua dans mon cœur.

Je jetai un coup d'œil sur Pernelle qui dormait toujours et sortis de la pièce à pas de loup.

Passant sans bruit devant la chambre de ma sœur qui traduisait du latin, puis devant la mienne, je gagnai le couloir en angle où s'ouvrait la salle du conseil.

Évidemment, la porte en était fermée, mais j'entendis tout de même :

– Il est dangereux. Un jour ou l'autre il s'enfuira et alors...

– Que veux-tu faire ? demanda une autre voix. Le tuer ?

Ils se turent d'un coup, et j'eus peur qu'ils n'aient senti ma présence derrière la porte. Je m'enfuis par le couloir, dans le silence de mes chaussons de feutre.

35

Le couteau sous la gorge

Pernelle dormait toujours...

C'était de moi qu'ils parlaient, je n'en pouvais pas douter. Cependant, j'avais l'impression que la question « Le tuer ? » avait été posée d'un ton qui supposait la chose impossible.

« Le tuer »... « Le tuer ? »... J'essayai de réentendre l'intonation exacte, pour percevoir le véritable sens de ces mots. Mais plus je me les répétais, plus tout devenait confus.

Le réveil de Pernelle interrompit le cours de mes réflexions, et je me mis aussitôt à faire semblant d'être préoccupé par l'athanor.

Elle se leva avec lenteur, comme si elle craignait de tomber et, sans un mot, marcha vers une étagère et passa son doigt sur les récipients de verre. Enfin elle en choisit un, avant de se diriger vers la balance.

Le pot contenait une poudre, il me sembla que c'était de l'antimoine. Elle en pesa une petite quantité, puis elle s'approcha de l'œuf de pierre, l'ouvrit et y jeta la poudre. Elle referma le tout et déposa l'œuf non pas dans l'athanor, mais sur la plaque du fourneau.

Elle se tourna alors vers moi et me dit tout à coup une phrase si surprenante que je mis un moment à la comprendre :

– Ton père te cherche.

J'ouvris de grands yeux. Elle reprit :

– Ton père n'a pas d'autre famille, crois-moi. Il vient juste d'être libéré de prison et il passe ses journées à vous rechercher, ta sœur et toi.

– Il ne nous a pas abandonnés ?

– Jamais. Vous êtes tout ce qui le retient à la vie.

Je sentis ma tête bouillonner, et aussi quelque chose qui se détendait dans mon cœur. Sans ajouter un mot, Pernelle s'appuya un peu au bord de l'athanor et prit une grande inspiration, avant de se diriger vers la porte d'un pas un peu raide.

– Je me rends au Conseil, annonça-t-elle d'une voix faible.

Je la regardai sortir sans rien dire, encore ahuri.

Reprenant enfin mes esprits, je me précipitai vers la porte pour surveiller ce qu'elle allait faire.

Elle s'arrêta d'abord chez ma sœur et y entra. Elle y resta un petit moment avant de ressortir. Et là, elle se dirigea bien vers la salle du conseil.

Elle avançait pas à pas, s'arrêtant parfois pour se tenir au mur, et une pensée brutale me frappa : elle était en train de mourir !

La terreur me gagna.

Aussitôt qu'elle eut refermé la salle du conseil, je me précipitai sur ses traces, plein d'angoisse.

Je m'approchai de la porte sans guère de prudence, je crois, et y collai mon oreille. Il y avait là-dedans un véritable brouhaha. Tout le monde parlait en même temps. C'était évident, ils en étaient tous venus à la même conclusion que moi : Pernelle se mourait.

Je percevais bien une voix de femme, mais si faible que je ne saisissais rien de ce qu'elle disait. Puis il y eut une marée de chuchotements véhéments et, enfin, le calme revint.

J'entendis alors Barthélemy dire :

— Après débat du conseil, il a été décidé ce qui suit. Pernelle ayant trop tardé à nous avertir de son état, il lui est devenu impossible de sortir de ces murs pour se mettre à la recherche d'un nourrisson. Une seule solution nous reste : accomplir le sacrifice à l'intérieur de cette enceinte. Nous ferons donc tomber les sécurités, de manière à ce qu'elle puisse sortir ensuite et mourir pour renaître... Antonin ayant déjà douze ans, il semble préférable de prendre la vie de sa sœur plus jeune. Ceci sera fait ce soir au coucher du soleil.

36

L'encombrante bâtisse

Le commissaire Lecœur s'était démené, bien démené. De cette maison était sorti un panache de fumée, il croyait à la vérité de cette information bien qu'il n'en ait rien dit en haut lieu.

Le bâtiment ne possédait aucune issue, il l'avait vérifié et revérifié. Il avait longé tous les murs, il était entré dans toutes les maisons qui s'y appuyaient. Aucune porte, aucune fenêtre. Il songea à une issue par le toit mais, outre l'étrangeté de la chose, cela aurait nécessité au moins un escalier pour en redescendre. Or, d'escalier, il n'y avait pas plus que du reste.

Pourtant, la grosse bâtisse rouge paraissait dans un état de conservation remarquable, comme si elle était habitée, alors que l'acte de propriété – dont la date était presque effacée – était établi sur un très vieux parchemin qui n'avait jamais été retouché.

Et dans le cœur du dragon, un trou.

Pas la peine de tergiverser, ils l'avaient sous le nez, la sorcellerie.

Seulement ses chefs ne voudraient sûrement pas le croire, du moins officiellement. Au fond d'eux-mêmes sans doute ils douteraient, mais jamais aucun d'eux ne se risquerait à annoncer qu'on allait détruire un édifice parce que, peut-être, y vivaient des sorciers.

Le commissaire avait donc choisi de jouer une autre carte. Il s'était ingénié à démontrer que, d'une part, il n'y avait aucune issue – sauf une marque de porte murée (depuis des siècles sans doute) dans l'impasse du Louis d'Or – et que, d'autre part, on ne savait plus rien aujourd'hui de cette Société de la Pierre de Feu, vraisemblablement éteinte depuis longtemps avec ses derniers membres.

De plus, aussi loin que remontait la mémoire des habitants du quartier, le bâtiment était inhabité. Or il occupait, au centre de la ville, une surface démesurée, qui aurait permis de faire la place du marché dont on manquait tant.

De démarche en démarche, de raisonnement en raisonnement, il venait d'obtenir l'autorisation de démolir le bâtiment. L'armée lui avait prêté main forte, en la personne d'un gros canon, dont quelques coups bien appliqués devaient suffire à faire s'écrouler l'édifice.

Le commissaire remonta la rue à pied, suivant le canon au plus près. Quelques hommes seulement l'accompagnaient. Pour ce qui était de faire dégager les décombres, on verrait le lendemain. Il était entendu que les pierres seraient récupérées pour bâtir les nouvelles halles. L'affaire, finalement, satisfaisait tout le monde.

Quand ils arrivèrent au carrefour, le commissaire dut s'effacer contre le mur à demi effondré d'une ancienne boutique pour laisser les militaires manœuvrer l'énorme pièce d'artillerie et la pousser dans la ruelle. Il jeta un regard dans les ruines. Ces vieux commerces désaffectés, on ferait bien de les abattre aussi. D'ailleurs, pourquoi n'étaient-ils pas utilisés ? Avait-on toujours eu peur de cette impasse ?

La réponse était oui à coup sûr : oui, on avait toujours eu peur de cette impasse.

Cela conforta le commissaire dans sa certitude : ceux qui allaient disparaître avec ces murs étaient bien des sorciers....

Et si vraiment, comme le croyait le notaire, il n'y avait personne, eh bien... on aurait au moins gagné de la place !

✧ ✧
✧

De sa fenêtre, maître Lombard aperçut le canon. Cette affaire l'ennuyait. Voir tomber un bâtiment dont il avait entre les mains le titre de propriété... !

Bien sûr, les membres de la Société qui avaient signé en bas du parchemin ne vivaient plus depuis longtemps, mais il aurait aimé avoir la confirmation que leurs successeurs avaient bien fini par dissoudre cette société. Ou au moins l'assurance qu'elle s'était dissoute d'elle-même à la mort des uns et des autres. Il en allait de sa responsabilité.

Tourmenté, il ressortit le parchemin et le parcourut des yeux.

Il n'apprit rien qu'il ne sache déjà. La date était incertaine, et les signatures illisibles, d'autant plus illisibles qu'aucun nom n'était par ailleurs écrit en clair, à part celui de « Société de la Pierre de Feu ». Il examina de nouveau le sceau.

La porte s'ouvrit sur son clerc, et il ne put s'empêcher de lui faire part de sa perplexité :

– Il s'est passé quelque chose d'étrange, dit-il. Ce sceau... Je n'avais jamais remarqué qu'il présentait un trou au niveau du cœur du dragon.

– Le cœur du dragon ? s'étonna le clerc de notaire en s'approchant.

– Ah !... Ça ? s'exclama-t-il enfin quand il découvrit ce que le notaire désignait du doigt. Je me rappelle... Mon poinçon était malencontreusement tombé dessus... Je n'ai pas pensé que cela fût important.

Le notaire resta muet, fixant son clerc avec stupéfaction, puis il murmura :

– Important... en principe non, mais...

Mais cela avait déclenché toute cette affaire. Ce commissaire, ce Lecœur, il croyait à la sorcellerie ! Et c'est pour cette seule raison – le notaire en était persuadé – qu'il voulait faire raser le bâtiment. Il souffla :

– Je vais... Il faut absolument que je dise au commissaire qu'il ne s'agit que d'un coup de poinçon...

Le notaire saisit son chapeau, l'enfonça sur son crâne en traversant la pièce à grands pas et ouvrit vivement la porte. Surpris, son clerc le vit sortir d'un air préoccupé et murmurant tout seul les mots de « société » et de « dragon ».

37

L'athanor au rouge

Le creuset. Verser le mélange dans le creuset. Activer les braises, enflammer tout le bois. Trop de bois, trop de braises, trop de chaleur, voilà ce que je devais obtenir. Et aussi, porter l'athanor au rouge. J'agissais comme un automate. Avant le coucher du soleil, il fallait que nous soyons dehors et que ces lieux maudits aient disparu.

L'obtention de la Pierre Philosophale par la voie sèche était excessivement dangereuse, c'est une leçon que j'avais bien retenue. Aussi, je surveillais avec une attention inquiète le mélange dans le creuset. Voilà qu'il commençait à noircir... Bientôt il atteindrait le point critique où il pouvait exploser. Il fallait faire vite !

Par chance, aucun des vieux ne s'était montré au laboratoire, c'était presque miraculeux... J'entendais résonner à mes oreilles le claquement sec du balancier de l'horloge qui comptait le temps qui me restait. Qui me restait à vivre ? Qui me restait pour m'échapper ?

Je fis deux pas en courant vers la porte, puis m'arrêtai net. C'était comme si je ne pouvais pas quitter la pièce. Étais-je sûr d'en avoir fait assez ? Ne fallait-il pas rajouter encore un peu de bois dans l'athanor, donner encore quelques violents coups de soufflet ?

Je percevais confusément que, en réalité, mon hésitation n'avait pas grand-chose à voir avec ces questions pratiques... Que m'arrivait-il ? Mes jambes flageolaient, semblaient ne plus vouloir m'obéir. L'angoisse m'étreignait...

Cette angoisse se mit à distiller dans mes veines une sorte de poison glacé qui gagna mon cerveau pour le paralyser. Je ne me sentais plus en mesure de prendre une décision. Ni de partir ni de rester. Dans un sentiment de complète panique, je perçus que la glace atteignait mon cœur.

J'allais mourir ! J'allais mourir ici, et je ne pouvais plus rien y faire. Je n'étais plus capable du moindre mouvement, de la moindre résolution. Mes mains se mirent à trembler, et la bûche que je tenais dans mes mains tomba... Elle tomba sur mon pied, fort heureusement pour moi, car le choc me réveilla de mon inertie. Je ramassai la bûche et la jetai dans le brasier de l'athanor.

Mon œil eut l'instinct de vérifier que, sous le creuset posé sur le brasero, le feu rougeoyait. La chaleur devenait suffocante. Me sauver ! Juste ces mots : me sauver !

Mes jambes répondirent enfin et me jetèrent hors de la pièce. Je me précipitai vers la chambre de ma sœur.

✦ ✦
✦

Antonine lisait un manuscrit ancien. Je lui lançai un manteau noir et un pantalon rayé que j'avais volés dans l'après-midi.

– Habille-toi ! Vite !

Ses yeux s'agrandirent de surprise mais, percevant mon affolement, elle n'eut pas un mot de protestation. Elle ferma malgré tout le livre et montra un court moment d'hésitation avant de ramasser le pantalon.

Elle l'enfila et jeta le manteau sur ses épaules.

— Vite ! répétai-je en m'habillant en même temps qu'elle d'un costume *de vieux*.

Mes mains tremblaient et j'avais du mal à glisser mes pieds dans les jambes de tissu rayé.

— Bon sang de bon sang, chuchotai-je au comble de l'énervement, ça risque d'exploser, et les sécurités sont enlevées. Il n'y a pas une seconde à perdre. Dépêchons-nous !

Antonine ne protesta pas, même quand je la pris par la main pour l'entraîner en courant vers le fond de la grande salle à colonnes. Mes mains ne tremblaient plus, mais mon cœur battait à tout rompre. J'apercevais la lueur d'une porte qui venait de s'ouvrir dans le mur...

- 38 -

La vérité vraie

Le commissaire leva la main pour ordonner le feu et stoppa net son geste.

– Qu'est-ce que c'est que ça ? s'écria-t-il, abasourdi, en voyant apparaître deux personnages en manteau noir et pantalon rayés.

Il lui était impossible de comprendre d'où ils venaient. Il s'agissait de deux enfants un peu affolés. Craignant un instant qu'ils n'arrivent de l'intérieur de la bâtisse, il s'inquiéta :

– Il y a quelqu'un là-dedans ?

– Là-dedans ? fit Antonin. (Il prit un air surpris.) Elle est vide depuis longtemps, cette bâtisse, non ?

Le commissaire en déduisit que ces gamins n'en sortaient pas, et abattit son bras pour donner le signal. Le canon tonna et le boulet fonça vers le mur.

Il n'y fit pas grand dégât, se contentant de l'ébranler.

— Arrêtez ! s'écria le notaire qui arrivait en courant. Commissaire !... C'est juste un trou de poinçon, dans le cœur du dragon.

Tout à son affaire, Lecœur mit un moment à comprendre qu'on s'adressait à lui. Il fronça les sourcils en considérant le notaire comme s'il ne l'avait jamais vu. Enfin, il sembla se rappeler qui il était :

— Pardon ? s'étonna-t-il.

— Le trou dans le cœur du dragon, sur le sceau, rappelez-vous... C'est juste une mala-dresse de mon clerc, un malencontreux coup de poinçon. Il ne peut être question de sorcel-lerie, vous vous égarez !

Le commissaire se crispa un peu, puis il répondit sèchement :

— Qu'est-ce que ces histoires de sorcellerie, maître Lombard ? Vous délirez ! J'ai mission de détruire un bâtiment désaffecté et qui gêne, je détruis, voilà tout.

Et un deuxième boulet s'écrasa contre le mur, faisant vibrer les pierres. Il ne parvint pourtant pas à en desceller une seule.

✧ ✧
✧

Je n'entendais pas le débat entre le notaire et l'homme qui veillait au déroulement de ces stupéfiantes manœuvres. J'avais entraîné Antonine jusqu'à hauteur du canon et lui tenais fermement la main.

– Ils ne prendront pas ta vie pour permettre à Pernelle de continuer la sienne, lui soufflai-je.

Antonine ne répondit pas. Son visage était pâle et elle respirait à peine.

Une clameur annonça que le troisième coup de canon venait de réussir à percer le mur. Le notaire serrait les poings et faisait des gestes de colère.

Quelques pierres étaient tombées sur le sol, cependant le bâtiment demeurait impassible, comme un blessé qui veut ignorer la douleur.

Il semblait nous considérer d'un œil sévère, nous accuser... de lâcheté, je crois. Je détournai mon regard.

Tout autour de nous, les badauds avaient les yeux fixés sur le mourant, et j'eus l'impression de lire dans leurs yeux comme de la compassion. Mais sans doute avais-je l'esprit un peu troublé. Ils ne savaient pas, ces gens, ils ne savaient rien... Qu'on l'abatte, qu'on l'abatte vite !

Non, il n'y avait aucune lâcheté à utiliser les armes, car le pouvoir du monstre était plus grand que le nôtre et, à tout moment, le dragon agonisant pouvait nous sauter à la figure.

Le canon tonna de nouveau, et encore, et encore. Qu'on en finisse ! Je ne voulais pas qu'il souffre, mais je voulais qu'il meure.

Je levai subitement la tête. De partout arrivaient des nuages, de gros nuages noirs. Je considérai le ciel avec inquiétude. Moi seul savait ce que cela pouvait signifier... Je n'entendais plus le canon.

Des cris annoncèrent l'effondrement d'un pan de mur, et tous les regards se dirigèrent vers la brèche. À l'intérieur de la maison éventrée, on distinguait une chambre bleue, ma chambre, et cela me fit un effet sinistre.

– C'est fini... soupirai-je en serrant contre moi Antonine.

– C'est fini, chuchota-t-elle, comme ils l'avaient voulu.

Je mis un instant à saisir le sens de ses paroles. Intrigué, je demandai :

– Qu'ont-ils voulu ?

– Mourir.

– Mourir ? Tu es folle, ils voulaient au contraire te tuer, prendre ta vie pour sauver celle de Pernelle.

– Remarque, dit ma sœur sans relever mes paroles, au début, ils n'étaient pas tous d'accord. C'est pour ça qu'ils t'ont enlevé, pour que tu ne puisses pas leur nuire en les dénonçant.

Il y eut un nouveau coup de canon, que nous ne regardâmes même pas. Je considérai Antonine avec incrédulité. Elle continuait :

– C'est Magloire, le premier à avoir décidé que c'était assez, que la vie éternelle n'avait pas grande saveur, surtout si, pour la conserver, on devait tuer. Lui, il ne voulait plus, il affirmait qu'ils s'étaient *dévoyés* (c'est son mot), qu'ils étaient devenus des assassins, même s'ils croyaient pouvoir le justifier par l'*Œuvre*. Les autres n'étaient pas d'accord. Ils reconnaissaient qu'ils tuaient et le regrettaient, mais c'était pour arriver à donner aux hommes la vie éternelle... En plus, ils pensaient qu'un nouveau-né n'est pas encore vraiment une personne. Ernoul disait : « Qu'est-ce qu'une si petite vie, face à la découverte de l'éternité ! » Comme Magloire n'arrivait pas à les convaincre, il t'a fait croire que tu étais menacé, pour t'inciter à t'enfuir et à les dénoncer.

J'étais sidéré.

— Comment ça, « à les dénoncer » ?

— Oui, pour en finir.

Je me rappelais parfaitement ce moment, je revoyais même le geste de Magloire désignant son costume : grâce à ce costume, il allait sortir. C'était cela que son geste me signifiait.

— Ensuite, reprit ma petite sœur, l'idée a fait son chemin...

Tout cela était idiot, impossible !

— C'est faux, Antonine ! C'est ce qu'ils t'ont raconté, mais ce sont des menteurs. Rappelle-toi,

Barthélemy a même menti au sujet de notre père !

– Barthélemy a été le plus difficile à convaincre, continua-t-elle sans se frapper de ma réaction. S'il avait avoué que notre père nous cherchait, tu aurais encore tenté de t'enfuir.

Une pensée me frappa soudain :

– Pernelle... Elle m'a dit la vérité.

– Pernelle voulait que nous partions, c'est pour cela...

– Mais non, je les ai entendus. Elle était en train de mourir, elle voulait prendre ta vie.

– Elle ne voulait pas prendre ma vie, interrompit Antonine, pour la bonne raison qu'elle venait de trouver le secret de l'élixir. Elle n'avait plus besoin de tuer pour survivre... Et en trouvant le secret, elle avait compris qu'elle n'aurait aucun plaisir à vivre plus longtemps, puisqu'elle était arrivée au bout de ses recherches. Et la conscience d'avoir tué pour survivre jusque-là la rongeait d'autant plus. Elle se voyait partie à la dérive, corrompue. Elle n'avait plus que honte et remords. Finalement, elle voulait laisser faire la nature. Elle disait que leur heure était venue. Elle voulait que tout soit fini.

– C'est elle qui t'a raconté cela ?

Je posais la question alors que je connaissais la réponse, car les mots, les expressions utilisés par Antonine n'appartenaient pas à son langage. C'étaient des mots d'adultes, ceux de Pernelle.

– Elle est passée par ma chambre m'expliquer qu'elle avait trouvé l'élixir d'éternité et qu'il suffisait de rajouter dans l'œuf un peu d'antimoine, et puis elle m'a embrassée. Ensuite, elle est allée jusqu'à la salle du conseil. Elle savait que tu étais derrière la porte. Ils le savaient tous. Ils ont débattu de la conduite à tenir et se sont arrangés pour que tu entendes ce que tu as entendu. Prendre ma vie... Ils se doutaient que tu te serais moins battu pour ta vie que pour la mienne, et ils voulaient que la mort leur vienne.

Je demeurai sans voix.

– Bon sang ! bredouillai-je enfin, et l'athanor... Tout va exploser ! Je vais être responsable de leur mort ! Il faut faire quelque chose !

La fin n'est que le commencement

Je me précipitai en avant, mais une main forte m'agrippa l'épaule, me clouant sur place. À ce moment, un énorme coup de canon fit résonner les murs, le carrefour entier, et tout le monde resta suffoqué : le bâtiment venait d'exploser. Personne ne comprit comment la force d'un boulet avait pu faire ça.

Je portai ma main à mon front, les larmes m'aveuglaient. J'entendais autour de moi des murmures effarés et, quand je pus voir de nouveau devant, je me rendis compte qu'il ne restait rien du bâtiment. Même pas des pierres. Rien. De la poussière.

La pluie se mit à tomber d'un coup, soulevant des petits nuages poudreux. Personne ne bougea. Les murmures s'éteignirent. Plana un silence de mort.

Succédant à la stupeur, la crainte emplit bientôt les yeux. On n'entendait que le crépitement de la pluie.

Quelques secondes... Et puis le vent se leva, la tempête s'abattit sur nous, la poussière vola. Impressionnée, la foule recula. Je restai tout seul avec Antonine près du canon.

— Tu vois, dit-elle sans attention pour ce qui se passait autour d'elle, tout est bien.

Je les revoyais tous, un à un, avec des yeux nouveaux. Ils avaient disparu à jamais.

Un coup de tonnerre terrible emplit le ciel. Un couvercle de plomb pesait sur nous. La foule s'était éparpillée, mais nous n'avions pas peur.

— Ils ne sont pas morts, murmurai-je enfin.

Et sortant de ma poche un rouleau de parchemin, je montrai à Antonine mes premiers essais en écriture : le secret de la composition de la Pierre Philosophale.

— Ils ne sont pas morts, dit Antonine, et nous non plus...

Et sur sa main tendue, elle déposa l'œuf de pierre.

Nous demeurâmes tous deux silencieux, à sourire en contemplant la richesse et la vie éternelle qui s'offrait à nous. Antonine caressait le dragon du bout de l'index, d'un air songeur, puis elle remit l'œuf de pierre dans son sac.

Je glissai le parchemin dans ma poche et lui pris la main. Il ne pleuvait plus.

Au moment où nous nous retournions pour partir, je m'aperçus que nous n'étions pas seuls près du canon.

Un homme était là. Un homme grand et barbu, celui qui m'avait empêché de me jeter dans la maison qui allait exploser. Il ne dit pas un mot.

Je contemplai un instant son visage. Et là, tout ce que je croyais avoir oublié, toutes les images dont je ne savais pas me souvenir, m'assaillirent.

– Père, murmurai-je.

Je demeurai un moment pétrifié, puis je me jetai dans ses bras. Il me serra contre lui, je sentis sa chaleur contre ma joue, et toutes ses terribles années de séparation s'effacèrent.

Antonine, elle, ne bougeait pas. Elle dévisageait ce grand barbu avec surprise et incrédulité. Alors il lui tendit le bout de ses doigts et elle s'y accrocha, comme lorsqu'elle était bébé.

J'aurais voulu parler, dire ne serait-ce qu'un mot, mais je ne pouvais pas. Avec douceur, mon père entoura ma petite sœur de son autre bras, et nous restâmes tous trois sans bouger. Je crois que nous pleurions.

Enfin, il posa sa main sur mon épaule, son autre main sur celle d'Antonine, et nous nous éloignâmes. Du bleu revenait au fond du ciel.

La vie est d'une insondable richesse. La fin n'est que le commencement.

Imprimé sur du papier 100 % recyclé